NEUROCIÊNCIA E EDUCAÇÃO

C834n Cosenza, Ramon M.

Neurociência e educação : como o cérebro aprende / Ramon M. Cosenza, Leonor B. Guerra. – Porto Alegre : Artmed, 2011.

151 p. : il. ; 23 cm.

ISBN 978-85-363-2548-4

1. Neurologia. 2. Educação. I. Guerra, Leonor B. II. Título.

CDU 616.8:37

Catalogação na publicação: Ana Paula M. Magnus – CRB 10/2052

RAMON M. COSENZA | LEONOR B. GUERRA

NEUROCIÊNCIA E EDUCAÇÃO

COMO O CÉREBRO APRENDE

artmed

2011

Capa: Paola Manica
Preparação de originais: Marcelo Viana Soares
Leitura final: Marcelo de Abreu Almeida
Ilustrações: Cláudia Lambert
Editora sênior – Ciências Humanas: Mônica Ballejo Canto
Editora responsável por esta obra: Carla Rosa Araujo
Projeto gráfico e editoração eletrônica: TIPOS design editorial

ARTMED® EDITORA S.A.
Av. Jerônimo de Ornelas, 670 – Santana
90040-340 – Porto Alegre RS
Fone (51) 3027-7000 Fax (51) 3027-7070

SÃO PAULO
Av. Embaixador Macedo Soares, 10.735 – Pavilhão 5 – Cond. Espace Center
Vila Anastácio – 05095-035 – São Paulo SP
Fone (11) 3665-1100 Fax (11) 3667-1333

SAC 0800 703-3444

IMPRESSO NO BRASIL
PRINTED IN BRAZIL

AUTORES

RAMON M. COSENZA

Médico e Doutor em Ciências. Professor aposentado do Instituto de Ciências Biológicas da Universidade Federal de Minas Gerais.
E-mail: cosenza@ufmg.br

LEONOR B. GUERRA

Médica e Doutora em Ciências. Professora Adjunta do Departamento de Morfologia do Instituto de Ciências Biológicas da Universidade Federal de Minas Gerais.
E-mail: lguerra@icb.ufmg.br

APRESENTAÇÃO

Há muitos anos temos ministrado cursos para educadores sobre os aspectos das neurociências relacionados aos processos da aprendizagem e da educação. Ao longo desse tempo sempre nos chamou a atenção o fato de que os alunos mostravam enorme curiosidade e entusiasmo ao aprender sobre o assunto, afirmando que para eles era novidade, pois não tinham tido a oportunidade de estudá-lo nos seus cursos de graduação ou mesmo pós-graduação.

Isso sempre nos pareceu estranho. Educadores – professores e pais – assim como psicólogos, neurologistas ou psiquiatras são, de certa maneira, aqueles que mais trabalham com o cérebro. Mais do que intervir quando ele não funciona bem, os educadores contribuem para a organização do sistema nervoso do aprendiz e, portanto, dos comportamentos que ele apresentará durante a vida. E essa é uma tarefa de grande responsabilidade! Portanto, é curioso não conhecerem o funcionamento cerebral.

A partir dessa constatação ficou clara para nós a importância de estabelecer um diálogo entre a neurociência e a educação, tornando conhecidos dos educadores os fundamentos neurocientíficos do processo ensino-aprendizagem que podem contribuir para o sucesso ou o insucesso de algumas estratégias pedagógicas correntes. Em 2002 apresentamos um mini-curso, "O cérebro vai à escola" no evento "O educador do futuro", ocorrido em Belo Horizonte. O desejo de transformar o mini-curso num livro que pudesse atingir um público mais amplo nasceu ali, mas foi adiado por vários anos e motivos. Em 2003, com o intuito de atingir outros profissionais da educação, além daqueles participantes de cursos e eventos científicos, a professora Leonor criou o Projeto NeuroEduca.

O Projeto NeuroEduca busca a melhoria da qualificação do profissional da educação, procurando contribuir para mudanças práticas do dia a dia do professor e para a melhoria do desempenho e evolução dos alunos. O Projeto tem conseguido acompanhar profissionais da área de educação, divulgando, informando e orientando sobre conceitos básicos da neurociência relevantes para a compreensão do processo ensino-aprendizagem. Desde 2004, tendo como embrião o minicurso mencionado, o NeuroEduca oferece à comunidade em geral o curso de atualização "O cérebro vai à escola: um diálogo entre a neurociência e a educação", como um projeto de extensão do Instituto de Ciências Biológicas da Universidade Federal de Minas Gerais. A divulgação crescente das neurociências nos últimos anos junto ao profissional da educação, como tema de revistas científicas e leigas, de cursos, simpósios e congressos, tem aumentado progressivamente a demanda e o interesse sobre o assunto.

O livro que concluímos representa uma continuação dessa história. O professor Ramon, em um ano sabático em Évora, Portugal, dedicou-se intensamente ao projeto. De Belo Horizonte, a professora Leonor foi contribuindo com sua experiência na interlocução com os educadores. Cláudia Lambert, ilustradora do livro, usou seu talento de forma entusiasmada, transformando conceitos e palavras em imagens que certamente irão facilitar a aprendizagem. Esperamos que os leitores compartilhem de nosso entusiasmo sobre o assunto e possam encontrar utilidade em nosso trabalho.

Os Autores

SUMÁRIO

1

O MAPA

> Neste capítulo, veremos como se organiza o sistema nervoso em termos anatômicos e funcionais com o objetivo de compreender seu envolvimento na interação do organismo com o ambiente e nos processos de aprendizagem.

A ORGANIZAÇÃO GERAL, MORFOLÓGICA E FUNCIONAL DO SISTEMA NERVOSO

Todos os seres vivos precisam estar em permanente intercâmbio com o meio em que vivem. Para sobreviver, devem interagir com ele, identificando suas características e produzindo respostas adaptativas, tais como localizar alimentos, encontrar parceiros para a reprodução ou fugir de predadores e de outros perigos. Nos animais, é o sistema nervoso que se encarrega de estabelecer essa comunicação com o mundo ao redor e também com as partes internas do organismo. O cérebro, como sabemos, é a parte mais importante do nosso sistema nervoso, pois é através dele que tomamos consciência das informações que chegam pelos órgãos dos sentidos e processamos essas informações, comparando-as com nossas vivências e expectativas. É dele também que emanam as respostas voluntárias ou involuntárias, que fazem com que o corpo, eventualmente, atue sobre o ambiente.

Hipócrates, considerado o pai da medicina, já afirmava, há cerca de 2.300 anos, que é através do cérebro que sentimos tristeza ou alegria, e é também por meio de seu funcionamento que somos capazes de aprender ou de modificar nosso comportamento à medida que vivemos. Da mesma forma, os processos mentais, como o pensamento, a atenção ou a capacidade de julgamento, são frutos do funcionamento cerebral.

Tudo isso é feito por meio de circuitos nervosos, constituídos por dezenas de bilhões de células, que chamamos de **neurônios** (Fig. 1.1). Durante a evolução dos animais, essas células se especializaram na recepção e na condução de informações e passaram por um processo de organização, no qual foram formando cadeias cada vez mais complexas. Esse arranjo acabou por ser capaz de executar as atividades a que nos referimos de uma forma que só agora as neurociências estão nos permitindo compreender.

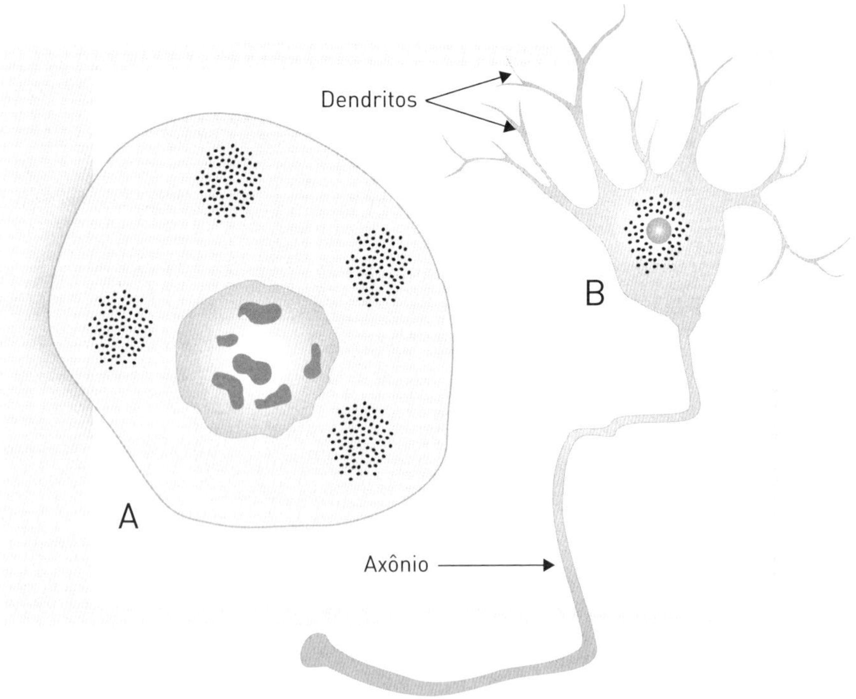

FIGURA 1.1
A figura mostra à esquerda uma célula comum, indiferenciada **(A)** e à direita um neurônio, ou célula nervosa **(B)**. O neurônio geralmente dispõe de prolongamentos, representados pelos dendritos e pelo axônio. Os primeiros captam informações de outras células e as conduzem até o corpo celular. O neurônio envia impulsos a outras células utilizando-se do axônio, que é um prolongamento único.

Desde a época dos antigos romanos até o século XVIII acreditava-se que o cérebro funcionava por intermédio de espíritos, que eram gerados no interior do organismo. Pensava-se que os nervos eram canais por onde circulava essa substância espiritual que se movia sob o comando do cérebro. As próprias células nervosas, que são responsáveis pelas funções do sistema nervoso, somente vieram a ser conhecidas em um passado bem mais recente, e a maneira como funcionam só pôde ser compreendida no princípio do século XX.

Hoje, sabemos que os neurônios processam e transmitem a informação por meio de impulsos nervosos que os percorrem ao longo de toda a sua extensão. Além disso, temos conhecimento de que o impulso nervoso tem uma natureza elétrica, pois é constituído de alterações na polaridade elétrica da membrana que reveste essas células **(Fig. 1.2)**.

Um neurônio pode disparar impulsos seguidamente, dezenas de vezes por segundo. Mas a informação, para ser transmitida para uma outra célula, depende de uma estrutura que ocorre geralmente nas porções finais do prolongamento neuronal que leva o nome de **axônio**. Esses locais, onde ocorre a passagem da informação entre as células, são denominados **sinapses**, e a comunicação é feita pela liberação de uma substância química, um **neurotransmissor (Fig. 1.2)**. Existem dezenas de neurotransmissores atuando em nosso cérebro, e teremos oportunidade de nos referir a eles, bem como a algumas de suas funções, nos capítulos que se seguem.

O neurotransmissor, liberado na região das sinapses, atua na membrana da outra célula (membrana pós-sináptica) e aí pode ter dois efeitos: vai excitá-la de forma que impulsos nervosos sejam disparados por ela, ou poderá dificultar o início de novos impulsos nervosos, pois muitos neurotransmissores são inibitórios. As sinapses, portanto, são os locais que regulam a passagem de informações no sistema nervoso e, como veremos, têm uma importância fundamental na aprendizagem.

As conexões sinápticas dos bilhões de células presentes em nosso sistema nervoso são em número incalculável. Um neurônio normalmente pode estabelecer sinapses com centenas de outros neurônios ao mesmo tempo em que recebe informações vindas de outras centenas de células. Sua resposta a esses influxos vai depender do equilíbrio de ações sinápticas excitatórias e inibitórias que recebe num determinado momento, o que vai influenciar, por sua vez, outras células próximas ou distantes, dependendo dos circuitos dos quais ele participa.

Outro fato digno de nota é que a maioria dos axônios encontrados em nosso sistema nervoso tem um envoltório de **mielina (Fig. 1.2)**. O axônio é o prolongamento através do qual o neurônio conduz a informação que eventualmente será transmitida a outras células, sendo a velocidade dessa condução um dado importante.

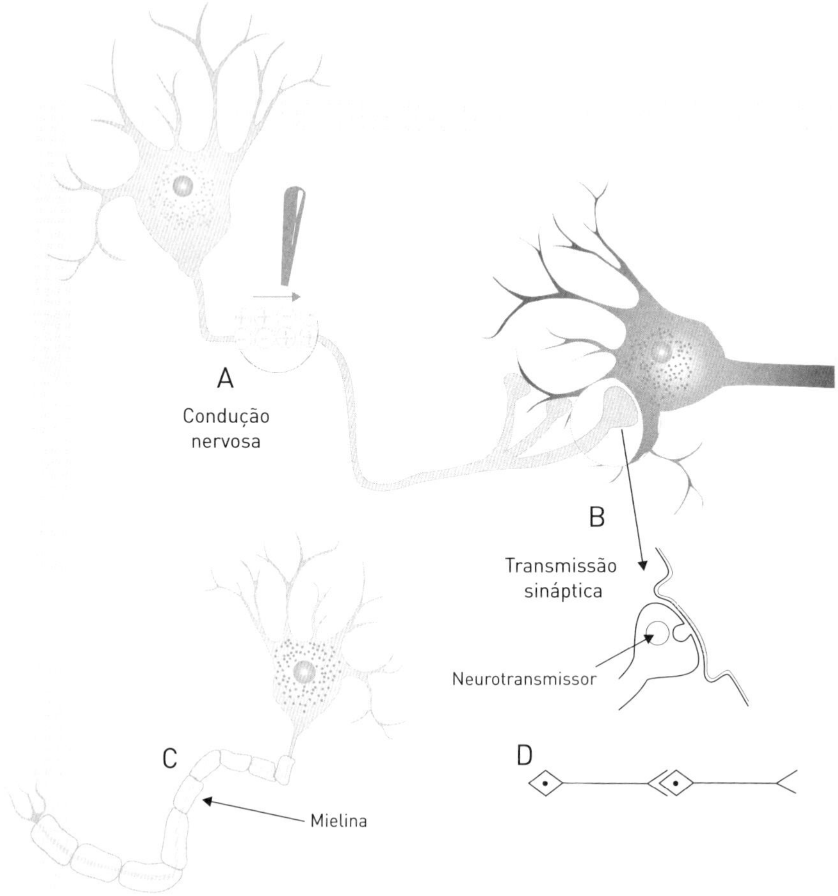

FIGURA 1.2
O impulso nervoso, modo pelo qual o neurônio conduz a informação, viaja ao longo do axônio por um mecanismo elétrico: as trocas de íons que ocorrem na membrana celular **(A)**. A passagem da informação para outras células ocorre nas sinapses **(B)**, onde é liberada uma substância química, um neurotransmissor. Em **C** observa-se uma fibra nervosa (axônio) com o envoltório de mielina. Compare com a fibra amielínica do neurônio representado em **A**. Em **D** observa-se a forma como representaremos os neurônios nas figuras que se seguem.

A bainha de mielina é formada por células auxiliares[1], que se enrolam ao longo da fibra nervosa, ou axônio. As fibras mielinizadas podem ser mais eficientes, pois os axônios que possuem esse envoltório conduzem a informação em uma velocidade até 100 vezes maior do que uma fibra que não seja mielínica **(Fig. 1.2)**.

Se um cérebro humano é seccionado e examinado, seja a fresco ou seja fixado por uma substância conservadora, geralmente somos capazes de identificar áreas onde se localizam fibras mielinizadas, a **substância branca** (a mielina é formada em grande parte de uma substância gordurosa), e áreas onde se encontra um predomínio de corpos de neurônios, a **substância cinzenta** **(Fig. 1.3)**.

A porção externa do cérebro é constituída por uma camada de substância cinzenta conhecida como **córtex cerebral.** O córtex cerebral contém bilhões de neurônios organizados em circuitos bastante complexos que se encarregam de

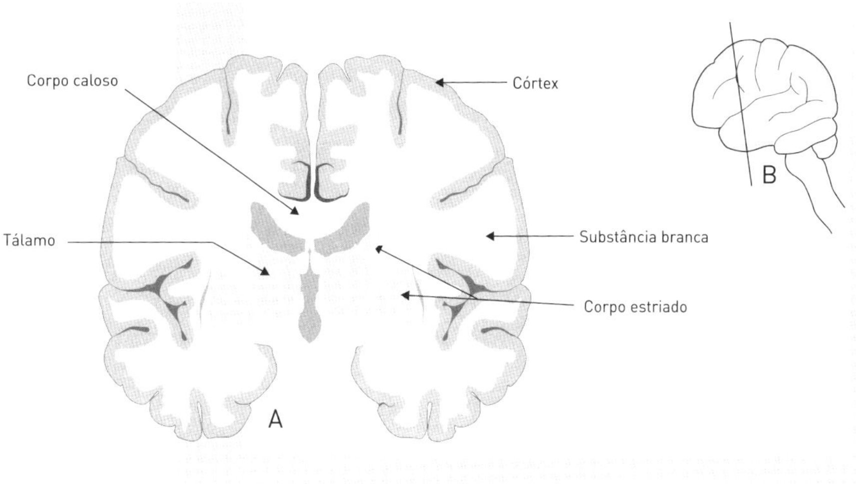

FIGURA 1.3
Na superfície de um corte feito através do cérebro **(A)** veem-se várias estruturas da substância branca e cinzenta. Em **B** pode-se ver como foi feito o corte observado em **A.**

[1] No sistema nervoso, além dos neurônios, encontramos células auxiliares, que em conjunto levam o nome de neuróglia, ou células gliais (glia=cola). Um tipo especial dessas células é responsável pela formação da mielina.

funções como a linguagem, a memória, o planejamento de ações, o raciocínio crítico, etc. Essas capacidades, que são características da espécie humana, costumam ser chamadas de funções nervosas superiores. Observe também, na Figura 1.3, que o cérebro tem uma região central em que predomina a substância branca, embora contenha núcleos de substância cinzenta. Esses conjuntos de neurônios exercem funções específicas, que mencionaremos quando necessário.

Ao longo da evolução animal, o encéfalo, que é a região do sistema nervoso que fica na extremidade em que se localiza a cabeça dos vertebrados, sofreu um processo de enorme crescimento **(Fig. 1.4)**. Essa expansão foi causada pelo acúmulo de neurônios que se associaram, formando circuitos cada vez mais complexos. Esses circuitos acrescentaram, pouco a pouco, capacidades e habilidades novas na interação com o meio ambiente. Isso possibilitou o surgimento de comporta-

FIGURA 1.4

A figura mostra o aumento progressivo do encéfalo em diferentes vertebrados, um processo conhecido como encefalização. Na espécie humana o encéfalo é muito maior do que seria esperado pelo peso corporal dos indivíduos da espécie. Os cérebros dos diferentes animais não foram desenhados em escala proporcional.

mentos sofisticados, além de novos processos mentais. O cérebro, como se sabe, é a porção mais importante do encéfalo no que se refere a essas funções.

Para compreendermos o funcionamento do cérebro em relação à aprendizagem, que é o nosso objetivo final, é importante que tenhamos um conhecimento básico de como a informação circula por ele. Para isso, vamos examinar, inicialmente, como as informações sensoriais chegam ao sistema nervoso e atingem o cérebro.

Os nossos sentidos se desenvolveram para que pudéssemos captar a energia presente no ambiente, embora saibamos que, das muitas formas de energia que nos rodeiam, somos sensíveis a apenas algumas, para as quais possuímos os **receptores** específicos. Tomemos como exemplo a visão, que, dentre os nossos sentidos, costuma ser o mais importante. A luz é uma forma de energia eletromagnética, encontrada em uma ampla faixa de frequências. Contudo, somos capazes de ver apenas uma pequena fração dessas frequências. As ondas radiofônicas, ou os raios-X, que podem mostrar o interior do corpo, também são energia eletromagnética, mas não são visíveis, pois não temos receptores para a sua faixa de frequência. Um outro exemplo seria o dos daltônicos, que não são capazes de distinguir certas cores porque não possuem os receptores que permitiriam essa distinção. De forma semelhante, muitas outras formas de energia presentes em nosso ambiente não afetam os nossos sentidos, embora possam ser percebidas por outros animais que tenham os receptores capazes de percebê-las.

Os processos sensoriais começam sempre nos receptores especializados em captar um tipo de energia. Neles tem início um circuito, em que a informação vai passando de uma célula a outra, até chegar em uma área do cérebro, geralmente no córtex cerebral, responsável por seu processamento. A Figura 1.5 toma como exemplo as sensações táteis e mostra, de forma esquematizada, o seu trajeto no sistema nervoso, até atingir uma região cerebral encarregada da sua recepção. A informação pode ser modificada no seu trajeto e será percebida de forma consciente quando for processada nos circuitos corticais especializados para isso.

A energia mecânica aplicada à pele de um dedo impressiona receptores táteis, que desencadeiam impulsos nervosos que viajam por fibras nervosas presentes em nervos **(Fig. 1.5)**. Os nervos são cordões constituídos de prolongamentos de neurônios que ligam o sistema nervoso central aos órgãos periféricos. As fibras que trazem a informação tátil a conduzem até o interior do sistema nervoso (no caso, a medula espinhal, situada no interior da coluna vertebral), repassam essa informação a um segundo neurônio, que tem a função de transportá-la até outras células nervosas, e finalmente atingem o córtex cerebral. Essa região, especializada no processamento das informações táteis, fará com que identifiquemos a estimulação original, bem como a sua localização.

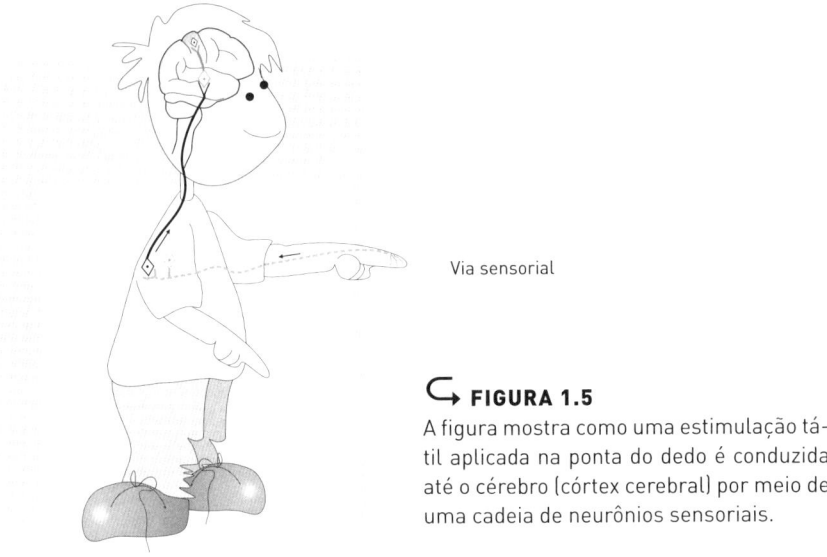

FIGURA 1.5
A figura mostra como uma estimulação tátil aplicada na ponta do dedo é conduzida até o cérebro (córtex cerebral) por meio de uma cadeia de neurônios sensoriais.

O córtex cerebral costuma ser dividido em grandes regiões, denominadas lobos, que têm nomes correspondentes aos ossos do crânio que os cobrem. Temos então os lobos frontal, parietal, temporal e occipital. A Figura 1.6 mostra os lobos corticais e também as áreas especializadas na recepção de algumas das informações sensoriais. Observe que a região que recebe as informações táteis, por exemplo, localiza-se no lobo parietal.

É por intermédio do córtex cerebral que percebemos uma determinada sensação. Em outras palavras, sabemos que houve uma estimulação tátil em nosso dedo quando essa informação, trazida através da cadeia neuronal mencionada, excita neurônios no córtex cerebral, levando a um processamento que ativa a consciência. Na região cortical, que se encarrega das informações táteis, existe um mapa corporal em que estão representadas as diversas partes do corpo. Ou seja, uma estimulação da pele do rosto chega em um ponto do córtex, enquanto a estimulação do braço atinge uma área um pouco diferente, e assim sucessivamente. Dessa forma, nosso cérebro "sabe" que região do corpo está sendo estimulada.

Se a cadeia neuronal for interrompida, o córtex deixará de ser informado e, portanto, não será possível perceber a estimulação dos receptores na região agora desconectada do restante do sistema. É o que acontece quando a medula espinhal de uma pessoa é lesada. Neste caso, ela perderá a sensibilidade nas regiões do corpo agora separadas de sua ligação com o córtex cerebral.

De forma análoga funcionam os outros sentidos como, por exemplo, a visão, a audição ou o olfato. Todos têm receptores e cadeias neuronais que levam a informação específica até uma região do córtex cerebral, onde ela se tornará consciente. A Figura 1.6 mostra que regiões diferentes do cérebro são responsáveis pelo processamento de cada modalidade sensorial. Por isso, um problema que afete uma dessas áreas pode trazer uma deficiência no sentido correspondente, deixando os outros sem alteração.

Resumindo, é por meio das informações sensoriais, conduzidas através de circuitos específicos e processadas pelo cérebro, que tomamos conhecimento do

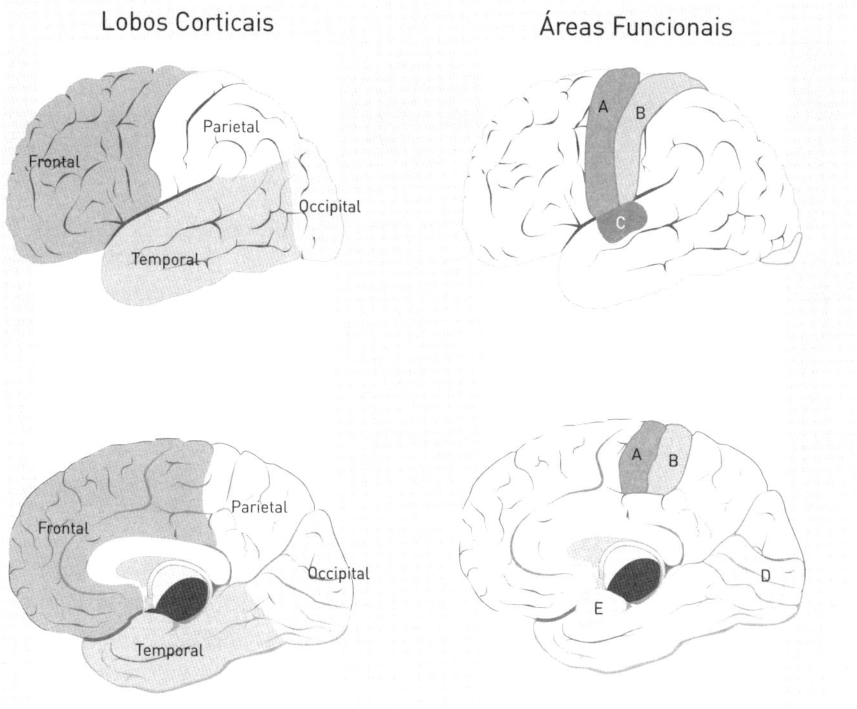

FIGURA 1.6
A figura mostra à esquerda a divisão da superfície do cérebro em lobos. À direita são mostradas as áreas corticais relacionadas com a motricidade e com a sensibilidade: **(A)** área motora; **(B)** área somestésica; **(C)** área auditiva; **(D)** área visual; **(E)** área olfatória.

que está acontecendo no ambiente ao nosso redor e com ele podemos interagir de forma satisfatória, de modo a garantir nossa sobrevivência.

É preciso lembrar que o cérebro recebe também informações que vêm do interior do corpo. Temos sensações viscerais como, por exemplo, a dor visceral que nos informa que algo não vai bem em nosso organismo. Boa parte das sensações viscerais, no entanto, não chega ao córtex cerebral e, por isso, não se torna consciente. Por exemplo, uma queda na pressão sanguínea é captada por receptores especiais e informada ao sistema nervoso por circuitos específicos. Isso permite que ele promova uma constrição dos vasos sanguíneos para corrigir o problema. Tudo é feito envolvendo outras regiões cerebrais e não o córtex, de forma que o processo não é conscientemente percebido.

Na verdade, a maior parte dos processos que ocorrem no cérebro é inconsciente, mesmo aqueles que dependem da atuação do córtex cerebral. Particularmente a regulação do nosso meio interno, como a manutenção da temperatura, dos níveis adequados de glicose e de oxigênio no sangue ou das secreções hormonais passa pela supervisão do sistema nervoso de uma forma que escapa à nossa consciência. Mas, como veremos, mesmo a aprendizagem que envolve nossa interação com o ambiente pode ocorrer de uma forma da qual não tomamos conhecimento.

O senso comum costuma se referir a cinco sentidos que seriam utilizados por nós normalmente. Na verdade, eles são em maior número. Na pele, por exemplo, não percebemos apenas o tato, mas também a sensação de pressão, a dor e a temperatura. Um sentido muito importante e pouco mencionado é a **cinestesia** (cine = movimento; estesia = sensação), que informa a posição do corpo no espaço e os movimentos que estão sendo executados. Seus receptores encontram-se nos músculos, nas articulações de nosso esqueleto e no ouvido interno. As informações neles geradas nos permitem manter o equilíbrio, conhecer a distribuição do corpo no espaço e executar com perfeição os movimentos dos diferentes grupos musculares.

Isso nos traz a questão de como o cérebro executa movimentos voluntários. Mais uma vez, entram em cena circuitos neuronais. O principal circuito motor tem origem no córtex e termina em um órgão periférico, um músculo esquelético. A Figura 1.7 mostra um esquema dessa via motora voluntária. Neurônios presentes em uma região cortical, com função motora, enviam prolongamentos que terminam em partes inferiores do sistema nervoso, onde fazem sinapses com células cujos axônios estão presentes em um nervo e vão estabelecer contatos (sinápticos) com as células musculares.

Quando queremos mover uma determinada parte do corpo, o cérebro ativa o circuito correspondente, de modo a realizar a ação adequada. Porções diferentes

FIGURA 1.7
A figura mostra a principal via motora voluntária, que tem origem no córtex cerebral e que chega até ao músculo por uma cadeia de dois neurônios motores.

do corpo são comandadas por áreas diferentes do córtex motor, a exemplo do que já relatamos para o córtex sensorial somático (soma = corpo).

Também para as vias motoras é bom lembrar que, se o circuito for interrompido, perde-se a capacidade de execução do ato voluntário correspondente. A lesão da medula espinhal geralmente tem como consequência a perda dos movimentos, juntamente com a perda da sensibilidade de todas as regiões que foram desconectadas do córtex cerebral.

Outro fato curioso, mas muito importante, é que as cadeias neuronais que constituem as vias sensoriais e motoras são cruzadas no sistema nervoso, de tal forma que o hemisfério cerebral esquerdo recebe informações e comanda o lado direito do corpo, ocorrendo o inverso com o hemisfério direito. Um derrame cerebral que ocorra no lado esquerdo do cérebro poderá trazer deficiências sensoriais e motoras do lado direito do corpo.

Até aqui observamos a organização geral do sistema nervoso de forma esquemática, à maneira de um mapa que indica as coordenadas que possibilitarão a compreensão do seu funcionamento geral. Na verdade, o funcionamento do cérebro é bem mais complexo.

As vias sensoriais ao longo do seu trajeto costumam receber influências de outros centros nervosos, de modo que a informação pode ser modificada ou mesmo suprimida. As estações sinápticas desse trajeto provavelmente se desenvolveram ao longo da evolução animal justamente para permitir essas modificações. Assim, um estímulo pode passar despercebido caso o indivíduo não tenha a atenção voltada para ele ou, ao contrário, dependendo das circunstâncias, pode percebê-lo com uma intensidade muito maior.

O controle motor também não é simples, pois, ao mesmo tempo em que o cérebro comanda um movimento de determinado músculo, são emitidas ordens paralelas, por exemplo, para inibição dos músculos que fazem o movimento inverso, ou para ativação de outros músculos que são importantes para que a ação final seja implementada. Ao mesmo tempo, as informações cinestésicas, táteis, visuais são integradas para permitir que o movimento seja o mais preciso possível, enquanto circuitos subcorticais executam um planejamento inconsciente e fazem os cálculos necessários para que o ato motor se desenvolva com a velocidade, a direção e a precisão necessárias.

Além disso, observe na Figura 1.6 que as áreas corticais diretamente envolvidas com a motricidade ou com a sensibilidade ocupam uma parte relativamente pequena da superfície do córtex cerebral. As outras áreas corticais são muito importantes e se organizam de uma forma que descreveremos, usando para isso a proposição do neuropsicólogo russo Alexandre Luria, que sugeriu que no córtex cerebral existem duas unidades funcionais. A primeira, que podemos chamar de unidade receptora, está presente na região posterior do cérebro **(Fig. 1.8)**, e se ocupa do recebimento, da análise e do armazenamento das informações sensoriais em níveis crescentes de complexidade. A segunda unidade funcional é executora, localiza-se nas porções anteriores do cérebro e também está organizada de forma a participar desde o planejamento e regulação do comportamento até a execução das ações motoras. Observe na Figura 1.8 que em ambas as unidades funcionais podemos observar três tipos de regiões corticais, que são chamadas de áreas primárias, secundárias e terciárias. As áreas primárias foram mencionadas anteriormente, pois são elas que se ocupam diretamente da motricidade e da sensibilidade **(Fig. 1.6)**.

Na unidade funcional receptora, além das áreas sensoriais primárias, encontramos **áreas corticais secundárias**, uma para cada modalidade sensitiva, que estão envolvidas nos processos de percepção **(Fig. 1.8)**. Quando ocorre uma lesão nas áreas primárias, o paciente perde a capacidade sensorial correspondente. Pode ficar cego, surdo ou sem sensibilidade tátil. Se a área secundária é lesada, contudo, o paciente não perde a sensibilidade, mas é incapaz de decodificar a informação através daquele sentido.

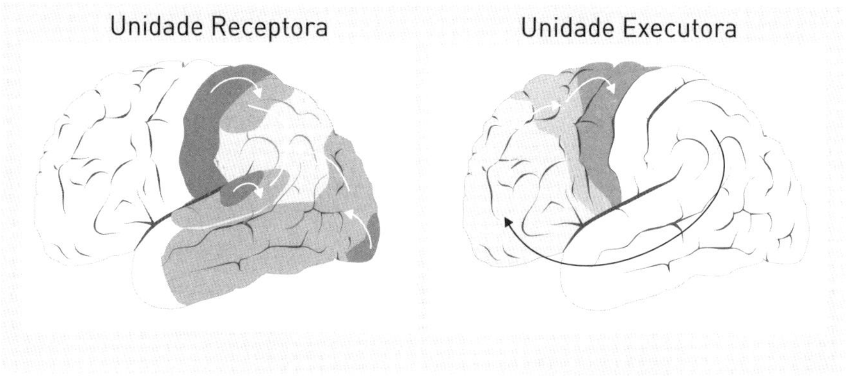

FIGURA 1.8
As unidades funcionais corticais receptora e executora, como propostas por Luria. As áreas primárias estão representadas por tons mais escuros, as secundárias por tons intermediários e as duas áreas terciárias por cores mais claras. As setas indicam a direção do fluxo de informação. Ver mais detalhes no texto.

Suponha uma pessoa com uma lesão na área visual secundária. Se mostrarmos uma caneta a essa paciente, ela será capaz de enxergar o objeto, mas não saberá dizer o que é. Ela apresenta uma agnosia visual, isto é, uma incapacidade de perceber ou decodificar as informações visuais[2]. Da mesma forma, lesões nas áreas secundárias auditiva ou somestésica irão provocar sintomatologias correspondentes, ou seja, agnosias auditiva ou somatoagnosia, que são a incapacidade de reconhecer os estímulos, respectivamente, pela audição ou pelo tato.

As áreas secundárias recebem a informação vinda das áreas primárias e a processam de uma forma que será possível interpretar aquela informação de acordo com as experiências e interações já realizadas pelo indivíduo. Só podemos reconhecer uma caneta como tal depois que já tivermos conhecimento prévio desse objeto e tenhamos uma memória dele. As áreas secundárias, na verdade, vão se desenvolvendo no nosso cérebro à medida que interagimos com o mundo exterior.

Veja, na Figura 1.8, que na junção dos lobos parietal e temporal está localizada uma área denominada **área terciária temporo-parietal**. Esta região não tem mais

[2] Note que, neste caso, ela poderá identificar a caneta pelo tato, utilizando suas outras áreas sensoriais corticais.

relação com as diferentes modalidades sensoriais[3], mas recebe informações de todas elas e tem a função de integrá-las, permitindo o aparecimento de funções mais complexas. No hemisfério esquerdo, por exemplo, a região terciária temporo-parietal está geralmente associada ao processamento da linguagem, enquanto no hemisfério direito ela é importante para a percepção do espaço e sua manipulação. Portanto, as áreas corticais terciárias são nitidamente assimétricas em relação à sua função.

Na metade posterior do córtex cerebral encontramos regiões que recebem as informações sensoriais e as vão processando de forma cada vez mais complexa, até que se tornam funções mais sofisticadas, como a capacidade de simbolização, a comunicação pela linguagem ou o raciocínio espacial.

De forma semelhante, na porção anterior do cérebro encontramos uma unidade funcional para o planejamento e a execução do comportamento motor que é composta por uma **região terciária pré-frontal**, uma **área secundária motora**, além da **área motora primária**, à qual já nos referimos anteriormente (**Fig. 1.8**). Aqui o fluxo de informação é inverso, pois a área terciária é importante para o planejamento, a regulação e o monitoramento das estratégias comportamentais e envia informações para a área secundária, que tem a função de planejar a execução das ações motoras. Esta, por sua vez, manda fibras para a área motora primária, que vai providenciar o comando da musculatura.

As áreas terciárias levam mais tempo para amadurecer e só atingem o funcionamento pleno durante a segunda década de vida. As regiões secundárias também não estão prontas por ocasião do nascimento e amadurecem sofrendo a influência da interação com o meio ambiente. Voltaremos a nos referir ao funcionamento dessas regiões corticais à medida que formos examinando as diversas capacidades e funções que são tema dos próximos capítulos.

Além das estruturas até aqui mencionadas, outros centros nervosos são importantes para realizar as diversas funções do sistema nervoso. Algumas dessas estruturas se localizam no próprio cérebro, como o tálamo, o hipotálamo e o corpo estriado. Outras fazem parte de outras regiões do encéfalo, como o cerebelo e o tronco encefálico.

A título de exemplo, os neurônios do tronco encefálico são importantes para a regulação do ciclo do sono e da vigília, da respiração e do funcionamento cardiovascular, dentre outras funções. Os circuitos neuronais do cerebelo e do corpo estriado, por sua vez, regulam vários aspectos do planejamento e da coordenação

[3] As áreas secundárias são chamadas de **unimodais**, porque estão ligadas a uma determinada modalidade sensorial. Já uma área terciária é **supramodal**, porque não tem relação com qualquer modalidade sensorial em particular.

da motricidade. O aprofundamento desses conhecimentos pode ser feito, caso necessário, por meio das leituras sugeridas.

É bom salientar, concluindo, que essencialmente todas as funções do sistema nervoso dependem do funcionamento de suas células, os neurônios, que se organizam em cadeias ou circuitos que interagem para dar origem a todas as funções nervosas, incluindo aquelas que dão suporte aos nossos processos mentais.

RESUMO

1 O cérebro é a porção mais importante do sistema nervoso e atua na interação do organismo com o meio externo, além de coordenar suas funções internas.

2 O sistema nervoso funciona por meio dos neurônios, células especializadas na condução e no processamento da informação. Os neurônios conduzem a informação por meio de impulsos elétricos que percorrem sua membrana e a passam a outras células por meio de estruturas especializadas, as sinapses, onde é liberado um neurotransmissor.

3 Os neurônios formam circuitos complexos entre si e se agrupam no interior do sistema nervoso nas áreas de substância cinzenta. No cérebro, a região de substância cinzenta mais importante é o córtex cerebral, responsável pelas sensações conscientes e pelos movimentos voluntários.

4 As vias sensoriais chegam ao cérebro por meio de cadeias neuronais, que levam a informação até uma região do córtex, que é específica para o processamento daquela modalidade sensorial.

5 A via motora voluntária também é constituída por uma cadeia neuronal que tem origem no córtex motor e termina em contato com os músculos esqueléticos.

6 O córtex cerebral se organiza em unidades funcionais com regiões primárias, secundárias e terciárias, que atuam de forma hierárquica para permitir a interação com o ambiente e o processamento das funções nervosas superiores.

7 O comportamento humano é função da atividade dos circuitos neuronais que funcionam em diversas áreas do sistema nervoso.

2

UM UNIVERSO EM MUTAÇÃO

Neste capítulo, veremos como o cérebro se organiza durante o período de desenvolvimento embrionário e como mantém a plasticidade que lhe permite uma contínua reorganização, que vem a ser a base do fenômeno da aprendizagem e da modificação comportamental.

O DESENVOLVIMENTO DO SISTEMA NERVOSO, A NEUROPLASTICIDADE E A APRENDIZAGEM

Vimos no capítulo anterior como o cérebro se liga aos órgãos periféricos tanto para receber informações como para enviar os comandos que permitem a interação com o mundo exterior (e, da mesma forma, com o interior do organismo). Essas vias, motoras e sensoriais, são semelhantes no sistema nervoso da espécie humana e no de outros vertebrados, como um rato ou uma rã. Isso indica que esse padrão de organização do sistema nervoso foi estabelecido ao longo do tempo, nos milhões de anos da evolução animal.

Em relação à nossa espécie, sabemos que não existem dois cérebros iguais, mas podemos afirmar que todos temos vias motoras e sensoriais que seguem o mesmo padrão. Elas estão previstas nas informações genéticas de nossas células e são construídas enquanto nosso organismo se desenvolve dentro do útero materno. Quando a criança nasce, já tem prontos em seu cérebro esse conjunto de circuitos, ainda que eles não estejam funcionando em sua plenitude. A maior parte do nosso sistema nervoso é construída, em suas linhas gerais, ainda no período embrionário e fetal.

O que torna os cérebros diferentes é o fato de que os detalhes de como os neurônios se interligam vão seguir uma história própria. É como uma cidade planejada, que à medida que vai sendo construída vai adquirindo características próprias, podendo ocorrer, inclusive, algumas mudanças no plano original. A história de vida de cada um constrói, desfaz e reorganiza permanentemente as conexões sinápticas entre os bilhões de neurônios que constituem o cérebro.

O sistema nervoso humano inicia o seu desenvolvimento nas primeiras semanas de vida embrionária, sob a forma de um minúsculo tubo cuja parede é formada por células-tronco que vão dar origem a todos os neurônios e também à maior parte das células auxiliares, as células gliais, que iremos encontrar no adulto. Inicialmente, o tubo tem paredes finas e um comprimento pequeno, pois nessa fase todo o embrião não chega a medir 10 milímetros. Contudo, em poucas semanas ocorrerá uma imensa transformação para possibilitar que a criança nasça com um sistema nervoso já bem parecido com o que terá na vida adulta **(Fig. 2.1)**.

Em uma primeira fase, o evento mais importante é a contínua divisão das células-tronco, formando novos neurônios que, de um número inicial reduzido, irão se tornar bilhões em um curto espaço de tempo. À medida que as paredes do tubo vão ficando mais espessas, sobretudo junto à cabeça, na região que dará origem ao cérebro, os novos neurônios terão como primeira tarefa deslocar-se, de uma forma ativa, para ocupar os lugares para os quais estão predeterminados geneticamente. Essa migração programada é auxiliada por células gliais específicas dessa etapa do desenvolvimento e podemos imaginar a complexidade das instruções que determinam, passo a passo, o posicionamento correto de cada grupo de células que irão constituir o sistema nervoso adulto. Qualquer erro nessa fase pode comprometer o funcionamento do cérebro adulto, pois as conexões corretas podem ser impedidas de acontecer posteriormente.

Chegando ao seu destino, as células começam a desenvolver seus prolongamentos, dendritos e axônios **(Fig. 1.1)**, que serão indispensáveis para a recepção e o envio de estímulos a outras células. Os neurônios podem ter diferentes formatos e tamanhos, e muitos têm características que são próprias de determinada região do sistema nervoso.

Cumprida essa fase de diferenciação, tem início a formação das conexões com os outros neurônios, para que sejam criados os circuitos necessários para executar as mais diferentes funções. Não é uma tarefa simples, pois muitas fibras (axônios) têm que crescer ao longo de extensos trajetos, passando por territórios "desconhecidos" e cheios de obstáculos, uma vez que outras estruturas, também em fase de diferenciação, estarão no seu caminho. Nesse percurso, elas são auxiliadas por outras estruturas que, por sinalizações químicas ou mecânicas, as orientam até alcançarem o objetivo final **(Fig. 2.2)**.

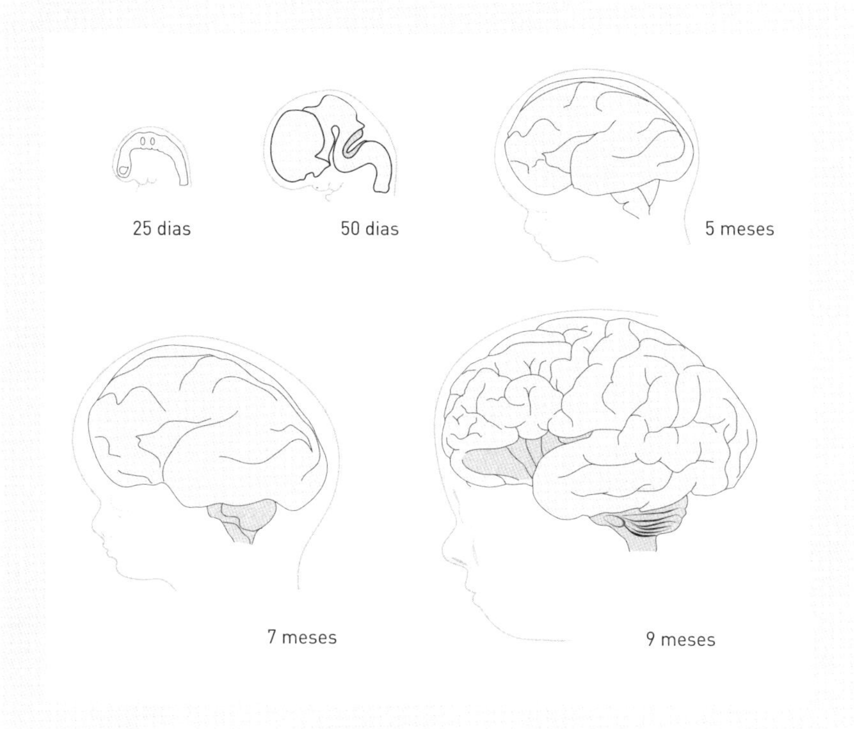

FIGURA 2.1
Desenvolvimento do encéfalo durante o período da gestação. Os desenhos não foram feitos em escala proporcional.

Neurônios que têm origem no olho, por exemplo, têm que dar origem a um circuito que levará informação até a área do córtex cerebral que se ocupa da visão, a qual se localiza na parte posterior do cérebro, no lobo occipital. Portanto, têm que atingir o extremo oposto da cabeça em relação à sua origem. Os axônios vão abrindo caminho por vários centímetros, desviando-se de obstáculos, cruzando de um lado para o outro do cérebro, até que tudo esteja no seu devido lugar, completando-se assim a via visual.

Depois que os neurônios ocupam suas posições, emitem prolongamentos e têm seus axônios nos lugares estabelecidos, ocorre então a **sinaptogênese**, a formação das sinapses que irão completar efetivamente os circuitos nervosos. Esse é um fenômeno extremamente importante que, como veremos, vai se estender bem além do período intrauterino.

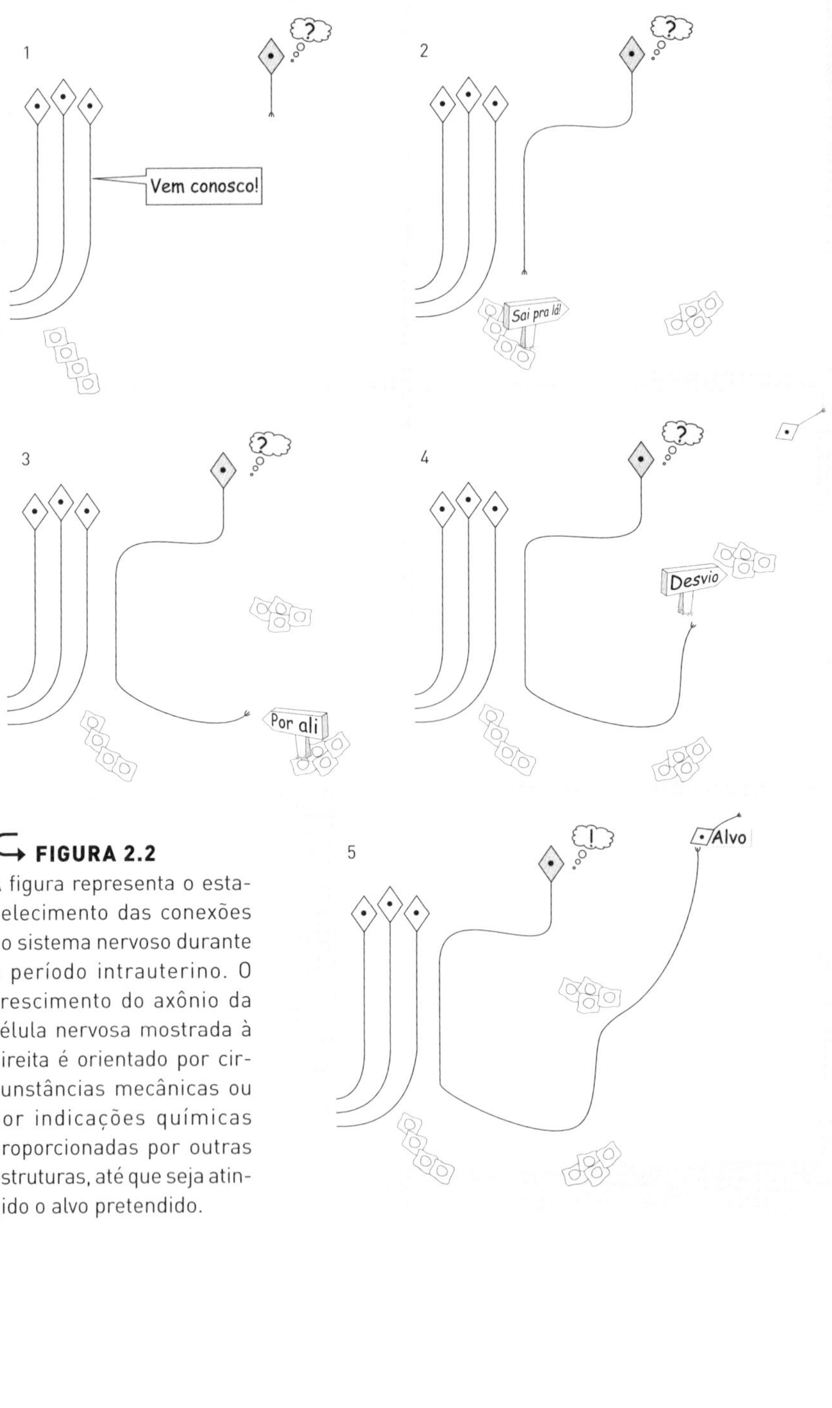

FIGURA 2.2
A figura representa o estabelecimento das conexões no sistema nervoso durante o período intrauterino. O crescimento do axônio da célula nervosa mostrada à direita é orientado por circunstâncias mecânicas ou por indicações químicas proporcionadas por outras estruturas, até que seja atingido o alvo pretendido.

No processo de construção do cérebro, na verdade, são formados neurônios em um número muito maior do que o necessário para o seu funcionamento. Muitas células são descartadas ao final, ou porque não se localizaram no lugar certo, ou porque não conseguiram formar as ligações necessárias, ou ainda porque as ligações formadas não eram corretas ou não se tornaram funcionais. Podemos pensar nesse processo como a brincadeira infantil das cadeiras, em que periodicamente vão sendo descartados os participantes que não conseguiram assegurar o seu lugar **(Fig. 2.3)**. Pelas mesmas razões que acabamos de mencionar, muitas sinapses formadas inicialmente irão também desaparecer, por um processo de retração axonal, ou de "desbastamento" sináptico.

FIGURA 2.3
São eliminados os neurônios que não estabelecem as conexões corretas durante as fases iniciais do desenvolvimento do cérebro.

É importante notar que essas primeiras fases do desenvolvimento do sistema nervoso são fundamentais para que se estabeleçam posteriormente as funções que as diversas estruturas vão desempenhar. Erros ocorridos nessa fase, por problemas genéticos ou ambientais, poderão ter como consequência distúrbios ou incapacidades por toda a vida. Daí a necessidade de cuidados especiais quanto à nutrição da gestante e para que o embrião, ou o feto, não sejam prejudicados pela exposição a drogas, medicamentos ou micro-organismos que possam alterar a marcha normal do desenvolvimento. Crianças com um sistema nervoso organizado de uma forma variante podem vir a necessitar, posteriormente, de estratégias pedagógicas especiais.

Durante muito tempo acreditou-se que não se formavam novos neurônios após o nascimento e que havia uma perda progressiva na população neuronal à medida que envelhecemos. Hoje sabemos que algumas regiões do cérebro mantêm a capacidade de produzir novas células pela vida inteira, ainda que esse fenômeno seja muito limitado. Por outro lado, descobriu-se que as perdas que ocorrem ao longo da vida são menos intensas do que se imaginava inicialmente e nem de longe se comparam com a destruição de neurônios que ocorre, por exemplo, antes do nascimento, e que visa eliminar todos aqueles que não terão função.

Imaginemos a formação do principal circuito motor, que já foi mencionado no capítulo anterior. As células do córtex cerebral têm que enviar axônios, suas fibras nervosas, por um longo trajeto para que elas possam estabelecer sinapses com neurônios situados na medula espinhal. Ao mesmo tempo, esses últimos ligam-se aos músculos, digamos, do braço, que estarão sob o seu controle. Boa parte dessas ligações estará pronta no nascimento do bebê, que já conta com uma série de reflexos e de movimentos que é capaz de executar. Contudo, como sabemos, o desenvolvimento motor da criança é enorme nos primeiros meses de vida e irá se fazer por meio das interações com o meio ambiente. Essa interação estimulará a formação de novas sinapses no interior do cérebro e no restante do sistema nervoso, ao mesmo tempo em que as vias vão se tornando mielinizadas e, portanto, mais eficientes.

Se tomarmos como outro exemplo a formação das vias sensoriais, poderíamos acompanhar o que ocorre nos sistemas visuais. No nascimento a criança já tem pronto o circuito básico da visão e é capaz de enxergar. Mas o que ela enxerga é ainda um esboço do que será capaz de ver em pouco tempo, à medida que for interagindo e sendo estimulada pelo ambiente, o que leva à formação de novas sinapses, além da manutenção das já existentes. Todos nós "aprendemos" a ver, em um período de nossa vida que não deixa registros conscientes, e por isso não nos lembramos dessa aprendizagem. O mesmo ocorre com os outros sentidos que possuímos, bem como com a nossa habilidade motora.

Assim, é a formação de novas ligações sinápticas entre as células no sistema nervoso que vai permitindo o aparecimento de novas capacidades funcionais. A criança nasce com um cérebro de mais ou menos 400g que, ao final do primeiro ano de vida, terá duplicado, pesando cerca de 800g. Considerando-se que não ocorre formação de novas células nervosas nesse período, praticamente todo o crescimento é devido à formação de novas ligações **(Fig. 2.4)**, embora ocorra também o aumento da quantidade de mielina e de células gliais.

O recém-nascido humano é extremamente imaturo quando comparado com o de outras espécies animais. Um potrinho neonato, por exemplo, já pode ficar em pé, o que só acontecerá com o bebê humano depois de vários meses de vida. Em compensação, nosso cérebro será capaz, ao final de sua maturação, de realizar uma série de funções que outras espécies não possuem. Se o bebê humano tivesse, ao nascer, as mesmas capacidades que têm, por exemplo, os bebês chimpanzés, o cérebro teria que ser tão grande que não caberia no canal do parto. Fizemos uma espécie de troca com a natureza: nossos cérebros são imaturos no nascimento

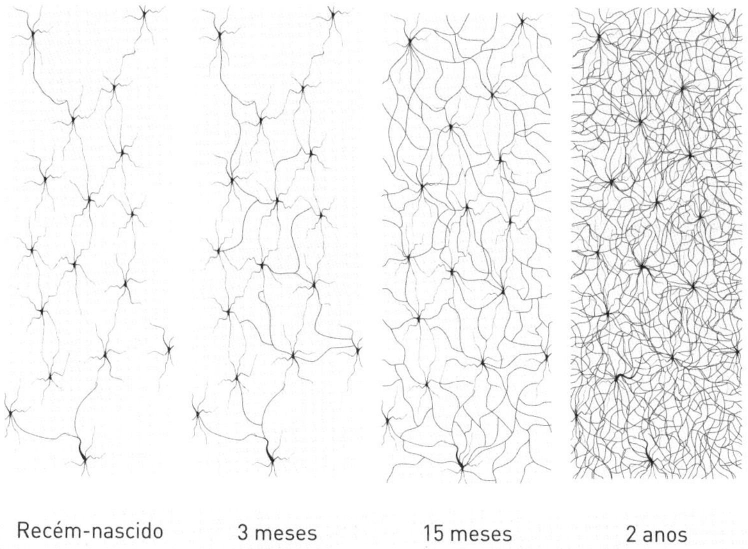

FIGURA 2.4
Durante o desenvolvimento ocorre um aumento progressivo das conexões entre as células nervosas, formando circuitos cada vez mais intrincados.

e precisamos de muitos cuidados por um tempo prolongado, mas desenvolveremos um equipamento neural sem paralelo no mundo animal.

A interação com o ambiente é importante porque é ela que confirmará ou induzirá a formação de conexões nervosas e, portanto, a aprendizagem ou o aparecimento de novos comportamentos que delas decorrem. Em sua imensa maioria, nossos comportamentos são aprendidos, e não programados pela natureza. Um patinho recém-eclodido não precisa que lhe ensinem a nadar. Ele apenas segue a pata mãe e, ao entrar no lago, já executa os movimentos necessários. Essas capacidades já vêm "embutidas" no seu sistema nervoso. Não é o caso de nossa espécie, cujo cérebro, embora planejado para desenvolver certas capacidades, necessitará de um aprendizado mesmo para capacidades bem simples. Contudo, exatamente por isso a gama de comportamentos e a forma de sua expressão serão muito mais amplas.

Muitas pesquisas têm mostrado que a estimulação ambiental é extremamente importante para o desenvolvimento do sistema nervoso. Animais criados em ambientes empobrecidos apresentam, mais tarde, um cérebro menos sofisticado, com menor quantidade de conexões sinápticas. Ele pode ser, por exemplo, menos pesado, com um córtex mais delgado. Certamente haverá alterações comportamentais.

Isso tem levado a uma discussão sobre a vantagem da estimulação precoce das crianças, para que elas desenvolvam um sistema nervoso mais complexo. Embora a privação sensorial e o ambiente empobrecido sejam prejudiciais, não está claro se é recomendável ou vantajoso o "bombardeamento" precoce com muitas informações ambientais. Ao longo de milhares de anos de evolução, nosso cérebro foi programado para desenvolver-se de uma forma que ocorre harmoniosamente em um ambiente que não fuja dos parâmetros usuais, e é pouco provável que uma estimulação artificialmente induzida venha a trazer alterações significativas.

Outro fato a considerar é o padrão cronológico, característico de cada espécie, para o aparecimento de muitas funções. Embora ocorram diferenças individuais, as crianças andam sem ajuda entre os 12 e 15 meses, costumam controlar voluntariamente seus esfíncteres entre 21 meses e os 4 anos, e começam a falar por volta dos 18 meses, continuando a desenvolver essa habilidade nos anos seguintes. Esses marcos do desenvolvimento são etapas cumpridas regularmente pelo amadurecimento progressivo das conexões que se fazem entre os neurônios e também pela mielinização das fibras nervosas envolvidas na sua execução.

Contudo, há capacidades que parecem depender de uma interação mais específica com o ambiente, como a linguagem falada, por exemplo. Na verdade, essa é uma capacidade já programada em nosso sistema nervoso. As crianças com um cérebro dentro dos padrões da normalidade irão aprender a falar e a compreender a linguagem de uma forma natural, sem necessidade de serem ensinadas. Contudo, que idioma vão dominar depende da sua interação social. Existem indicações de que, ao nascer, as crianças já são seletivas aos sons da linguagem materna. Portanto, alguma aprendizagem parece ocorrer ainda no período intrauterino[1].

Experiências feitas com animais mostraram que, quando se retira a estimulação necessária para o desenvolvimento de determinadas capacidades, elas simplesmente não se desenvolvem, ou se desenvolvem de forma inadequada. Isso levou ao conceito de períodos "críticos" ou "receptivos" do desenvolvimento e desencadeou o receio de que, em nossa espécie, também existam períodos que, se não aproveitados, levariam a perdas irreversíveis. Embora existam, realmente, períodos em que determinadas aprendizagens ocorram de forma ideal, tudo indica que uma eventual perda de oportunidade nesses períodos sensíveis pode ser corrigida no futuro, embora somente ao custo de esforços muito maiores.

O aprendizado de uma segunda língua, por exemplo, é feito com perfeição nos primeiros anos de vida, enquanto uma aprendizagem posterior geralmente não pode evitar a presença de um sotaque evidente. Contudo, mesmo isso pode, em certos casos, ser corrigido, mas acarreta um grande esforço adicional.

O sistema nervoso é extremamente plástico nos primeiros anos de vida. A capacidade de formação de novas sinapses é muito grande, o que é explicável pelo longo período de maturação do cérebro, que se estende até os anos da adolescência. Por exemplo: sabemos que o hemisfério esquerdo se ocupa do processamento da linguagem na maior parte dos indivíduos. No adulto, se as áreas da linguagem sofrem alguma lesão, geralmente se observa uma afasia, uma perda da capacidade de expressar ou de compreender a linguagem verbal. No entanto, na primeira década de vida, podem ocorrer lesões que não deixam sequelas, pois o hemisfério do outro lado ainda pode assumir as funções perdidas, promovendo o aparecimento de novas ligações sinápticas em seus circuitos neuronais.

O cérebro adulto não tem a mesma facilidade de promover tão grande modificação, e durante muito tempo acreditou-se que a capacidade de aprendizagem era pequena nos adultos e quase nula na velhice. O conhecimento atual permite afirmar que a plasticidade nervosa, ainda que diminuída, permanece pela vida inteira; portanto, a capacidade de aprendizagem é mantida.

[1] É importante esclarecer que o feto pode ouvir sons, ainda que distorcidos pelo conteúdo abdominal da mãe, e parece ser capaz de discriminar alguns deles. Contudo, ele não compreende ainda a linguagem, habilidade que irá desenvolver nos primeiros meses após o nascimento, por meio da interação social. Outro mito é que a criança irá recordar-se conscientemente desse período, o que é impossível pela imaturidade do seu sistema nervoso.

O sistema nervoso se modifica durante toda a vida, mas dois momentos são particularmente importantes ao longo do seu desenvolvimento. O primeiro corresponde ao período em torno da época do nascimento, quando ocorre, como já mencionamos, um ajuste quanto ao número de neurônios que serão realmente utilizados nos circuitos necessários à execução das diversas funções neurais. O segundo corresponde à época da adolescência, quando um grande rearranjo tem lugar, havendo um acelerado processo de eliminação de sinapses, um "desbastamento sináptico", que ocorre em diferentes regiões do córtex cerebral. Além disso, há um notável aumento da mielinização das fibras nervosas em circuitos cerebrais, tornando-os mais eficientes.

As modificações que ocorrem na adolescência preparam o indivíduo para a vida adulta. O aumento da conectividade entre as células corticais é progressivo durante a infância, mas declina na adolescência até atingir o padrão adulto, o que reflete, provavelmente, uma otimização do potencial de aprendizagem. Nessa fase da vida diminui a taxa de aprendizagem de novas informações, mas aumenta a capacidade de usar e elaborar o que já foi aprendido.

Uma característica marcante do sistema nervoso é então a sua permanente **plasticidade**. E o que entendemos por plasticidade é sua capacidade de fazer e desfazer ligações entre os neurônios como consequência das interações constantes com o ambiente externo e interno do corpo. A Figura 2.5 mostra algumas dessas possibilidades.

O treino e a aprendizagem podem levar à criação de novas sinapses e à facilitação do fluxo da informação dentro de um circuito nervoso. É o caso de um pianista, que diariamente se torna mais exímio porque o treinamento constante promove alterações em seus circuitos motores e cognitivos, permitindo maior controle e expressão na sua execução musical. Por outro lado, o desuso, ou uma doença, podem fazer com que ligações sejam desfeitas, empobrecendo a comunicação nos circuitos atingidos **(Fig. 2.5)**.

Como mostra a Figura 2.6, a aprendizagem pode levar não só ao aumento da complexidade das ligações em um circuito neuronal, mas também à associação de circuitos até então independentes. É o que acontece quando aprendemos novos conceitos a partir de conhecimentos já existentes. A inatividade, ou uma doença, podem ter efeitos inversos, levando ao empobrecimento das ligações entre os mesmos circuitos.

A grande plasticidade no fazer e no desfazer as associações existentes entre as células nervosas é a base da aprendizagem e permanece, felizmente, ao longo de toda a vida. Ela apenas diminui com o passar dos anos, exigindo mais tempo para ocorrer e demandando um esforço maior para que o aprendizado ocorra de fato.

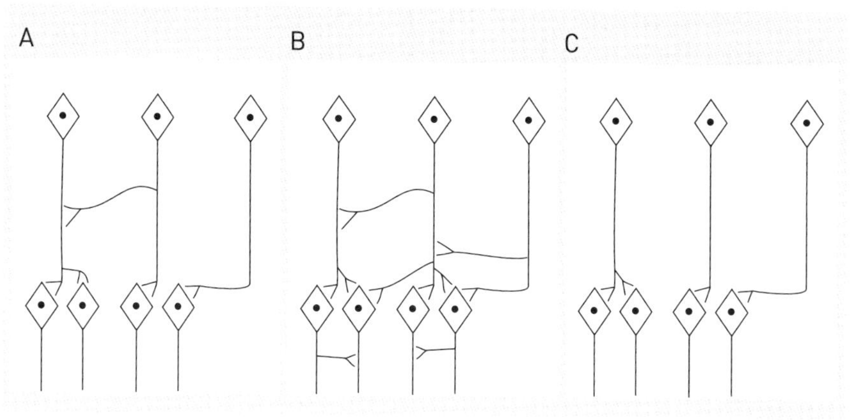

FIGURA 2.5

A plasticidade do sistema nervoso permite que ligações entre os neurônios sejam feitas e desfeitas ao longo de toda a vida. Em **A** observa-se um circuito inicial, que aparece enriquecido pelo treino ou aprendizagem em **B** e empobrecido pelo desuso ou doença em **C**.

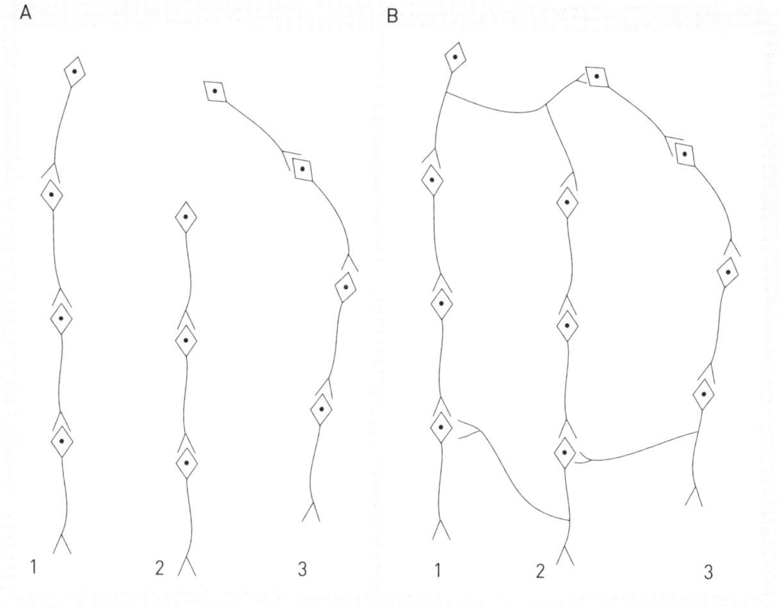

FIGURA 2.6

Circuitos neuronais independentes **(A)** podem tornar-se interligados pela aprendizagem e pelo exercício **(B)**.

A aprendizagem é consequência de uma facilitação da passagem da informação ao longo das sinapses. Mecanismos bioquímicos entram em ação, fazendo com que os neurotransmissores sejam liberados em maior quantidade ou tenham uma ação mais eficiente na membrana pós-sináptica. Mesmo sem a formação de uma nova ligação, as já existentes passam a ser mais eficientes, ocorrendo o que já podemos chamar de aprendizagem. Para que ela seja mais eficiente e duradoura, novas ligações sinápticas serão construídas, sendo necessário, então, a formação de proteínas e de outras substâncias. Portanto, trata-se de um processo que só será completado depois de algum tempo.

Resumindo, do ponto de vista neurobiológico a aprendizagem se traduz pela formação e consolidação das ligações entre as células nervosas. É fruto de modificações químicas e estruturais no sistema nervoso de cada um, que exigem energia e tempo para se manifestar. Professores podem facilitar o processo, mas, em última análise, a aprendizagem é um fenômeno individual e privado e vai obedecer às circunstâncias históricas de cada um de nós.

RESUMO

1 A organização do cérebro de todos os vertebrados obedece a um plano comum. Na espécie humana, todos temos cérebros semelhantes, mas não existem dois cérebros iguais, pois os detalhes das conexões entre os neurônios são fruto da história pessoal de cada indivíduo.

2 Durante o desenvolvimento pré-natal, existem várias etapas que devem ser cumpridas rigorosamente para que as conexões entre as células nervosas sejam feitas de forma correta. Muitos neurônios são produzidos e depois eliminados porque não se tornam funcionais.

3 O bebê humano nasce bastante imaturo, pois a maior parte das conexões em seu cérebro será feita com a ajuda das interações com o meio ambiente. Mesmo a percepção sensorial e a habilidade motora deverão passar por longos períodos de aprendizagem.

4 A falta de estimulação adequada pode ser prejudicial ao desenvolvimento do cérebro. Existem períodos em que a aprendizagem de determinadas habilidades é mais fácil.

5 O sistema nervoso tem uma enorme plasticidade, ou seja, uma grande capacidade de fazer e desfazer ligações entre as células nervosas como consequência das interações permanentes com o ambiente externo e interno do organismo. A plasticidade é maior nos primeiros anos de vida, mas permanece, ainda que diminuída, por toda a existência.

6 A aprendizagem e a mudança comportamental têm um correlato biológico, que é a formação e a consolidação das ligações sinápticas entre as células nervosas.

3

A LANTERNA NA JANELA

Neste capítulo, veremos as bases neurobiológicas do fenômeno da atenção e como sua compreensão pode contribuir para o aprimoramento do ensino e da aprendizagem

A ATENÇÃO E SUAS IMPLICAÇÕES NA APRENDIZAGEM

No primeiro capítulo relatamos como diferentes formas de energia do ambiente podem impressionar nossos receptores sensoriais periféricos e serem conduzidas como informação ao sistema nervoso central. Na verdade, boa parte dessa informação não chega a ser processada, não só porque é desnecessária e seria pouco econômico cuidar dela, mas também porque nosso cérebro, apesar de constituído por bilhões de células interligadas por trilhões de sinapses, não tem a capacidade de examinar tudo ao mesmo tempo. Por isso, a natureza nos dotou de mecanismos que permitem selecionar a informação que é importante. Através do fenômeno da **atenção** somos capazes de focalizar em cada momento determinados aspectos do ambiente, deixando de lado o que for dispensável.

Tomemos como exemplo a estimulação causada pela roupa que vestimos. Seu tecido impressiona nossos receptores táteis todo o tempo, mas de modo geral não percebemos essa estimulação. Contudo, ao mencionarmos o fato, tornamos consciente sua percepção, pois a ela se dirige o foco da atenção.

O sistema nervoso pode fazer a seleção da informação através de vários mecanismos. A informação chega ao cérebro por meio de cadeias neuronais cujas estações sinápticas intermediárias podem ser inibidas, impedindo que ela atinja a região em que se tornaria consciente. Existem centros nervosos reguladores do processo, de modo que podemos, conscientemente, dirigir a atenção a determinados estímulos enquanto ignoramos outros. Além disso, os próprios receptores sensoriais costumam se adaptar a uma estimulação prolongada, que deixa então de ser percebida.

Poderíamos usar como metáfora para o fenômeno da atenção uma janela aberta para o mundo, na qual dispomos de uma lanterna que utilizamos para iluminar os aspectos que mais nos interessam **(Fig. 3.1)**. É preciso lembrar que essa lanterna ilumina também nossos processos interiores quando focalizamos nossos pensamentos, resolvemos problemas ou tomamos decisões conscientes.

Um aspecto do funcionamento do cérebro que precisa ser considerado quando se analisa a atenção é o nível de vigilância ou de alerta em que ele se encontra em

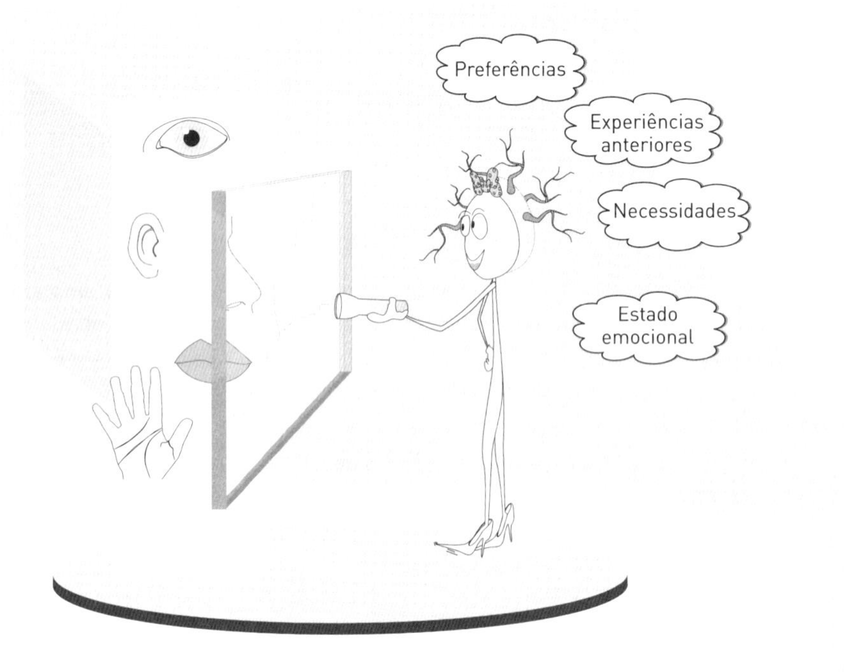

FIGURA 3.1
A atenção compara-se a uma lanterna, cujo foco pode ser dirigido a um dos nossos sentidos para examinar aspectos relevantes do ambiente. A atenção é influenciada por vários processos, como os mostrados no lado direito da figura.

um determinado momento. A atividade cerebral sofre variações normalmente, que vão do sono profundo ao pleno despertar. Sabemos também que durante a sonolência ou o sono o funcionamento da atenção e da memória fica prejudicado. O sono é importante para a aprendizagem, mas de uma forma diferente, da qual iremos tratar no Capítulo 5.

Por outro lado, um estado de alerta extremo, causado por uma condição de ansiedade, por exemplo, também pode prejudicar a atenção e o processamento cognitivo. É necessário, então, um nível adequado de vigília para que o cérebro possa manipular a atenção, focando a consciência em diferentes modalidades sensoriais, em eventos ou objetos notáveis ou, mais ainda, em alguma característica especial que for julgada importante.

Existe no cérebro um sistema funcional para a regulação dos níveis de vigilância. O principal circuito desse sistema estrutura-se a partir de um grupo de neurônios que possuem um pigmento que dá a essa região uma coloração azulada. Esse grupamento, denominado *locus ceruleus* (local azul), fica localizado no mesencéfalo, uma porção do encéfalo abaixo do cérebro, como mostra a Figura 3.2. O principal neurotransmissor produzido por esses neurônios é a noradrenalina,

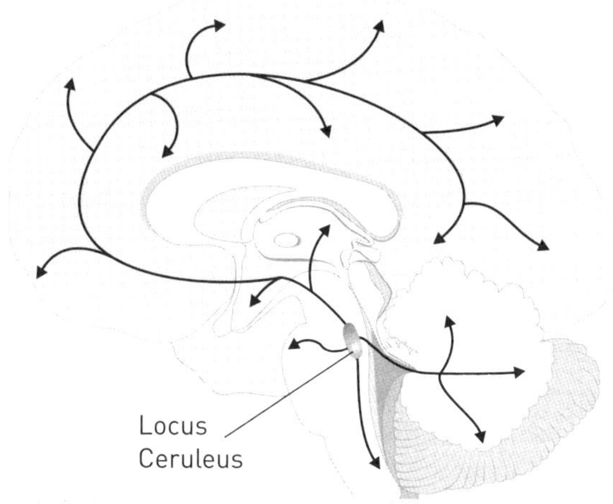

FIGURA 3.2

Visão esquemática do circuito que tem origem no *locus ceruleus*. As fibras nervosas que se distribuem ao longo do córtex cerebral são importantes para manter e regular o estado de alerta ou de vigilância das pessoas.

que tem importância na regulação do estado de alerta do organismo[1]. O primeiro circuito neuronal que governa a atenção é o que se dedica à regulação da **vigilância**.

É preciso levar em conta que a atenção pode ser regulada de duas formas: de "baixo para cima" ou de "cima para baixo". No primeiro caso, são importantes os estímulos periféricos e suas características (como a novidade ou o contraste) e esse tipo de atenção pode ser chamado também de **atenção reflexa.** No segundo caso, ela é regulada por aspectos centrais do processamento cerebral, e esse tipo de atenção pode ser chamado de **atenção voluntária**. Aqui podem ser importantes fatores como os estados internos do organismo (como a necessidade de água ou alimento) e a escolha pessoal determinada por um contexto específico ou por um objetivo a ser alcançado.

Podemos lembrar como exemplo de atenção reflexa o que acontece quando um som intenso ocorre repentinamente, como o sinal que anuncia a hora do recreio. Em relação à atenção voluntária, podemos imaginar a procura de um objeto perdido, em que somos capazes de encontrá-lo mais facilmente – na confusão de uma gaveta, por exemplo – quando mantemos a atenção concentrada.

Uma situação que costuma ser muito usada como modelo do funcionamento da atenção é aquela em que, em uma reunião social, escutamos nosso nome sendo pronunciado em uma roda de conversação próxima de onde estamos. Neste caso, somos capazes de desviar o foco da atenção, e usualmente iremos dirigi-lo de forma a escutar melhor o que está sendo falado naquele grupo. Vários aspectos do fenômeno atencional ocorrem nesse exemplo. Inicialmente, um estímulo periférico captura e desloca o foco da atenção; segue-se então o ajuste desse foco na nova direção, visando obter maior discriminação do estímulo, até que se consiga captar de forma precisa a informação desejada. Os estudos dos mecanismos cerebrais envolvidos na atenção indicam a existência de dois sistemas ou circuitos diferentes que regulam exatamente os processos acima mencionados.

Inicialmente há um **circuito orientador** localizado no córtex do lobo parietal **(Fig. 3.3)**. Ele permite o desligamento do foco atencional de um determinado alvo e o seu deslocamento para outro ponto, bem como o ajuste fino para que os estímulos sejam mais bem percebidos[2]. Voltando à analogia da lanterna na janela,

[1] Os circuitos que secretam noradrenalina são chamados de noradrenérgicos. A noradrenalina, contudo, não é o único neurotransmissor envolvido na atenção, pois há evidências de que outros transmissores, como a dopamina, também são importantes na sua manutenção.

[2] Existem centros localizados fora do córtex cerebral que participam desse circuito, como os colículos superiores, situados no mesencéfalo, e porções do tálamo, uma região de substância cinzenta no interior do cérebro.

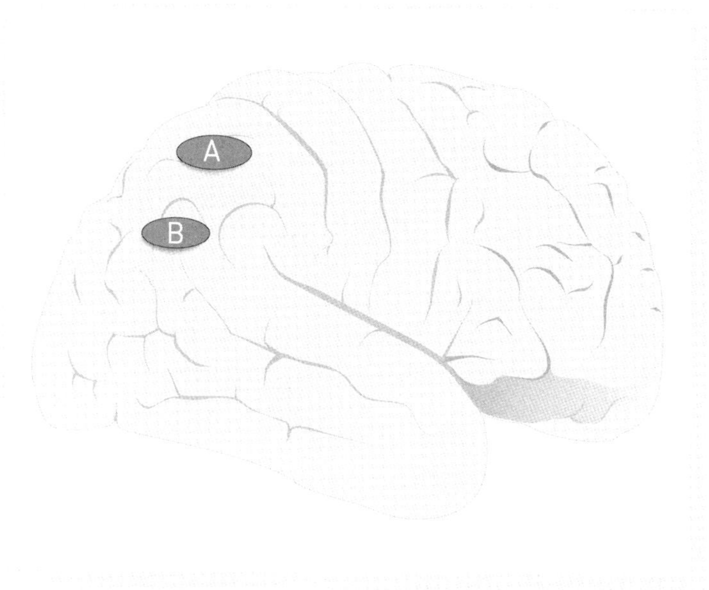

FIGURA 3.3
As regiões **A** e **B** delimitam porções do córtex do lobo parietal que são ativadas quando as pessoas têm sua atenção despertada por estímulos sensoriais.

é como se movimentássemos a lanterna para iluminar outro local, selecionando o estímulo mais relevante em um determinado momento. Esse circuito permite ainda que o foco da atenção seja dirigido a outros sistemas sensoriais. Pode-se privilegiar a audição em vez da visão, por exemplo.

O segundo circuito, chamado de circuito **executivo**, permite que se mantenha a atenção de forma prolongada, ao mesmo tempo em que são inibidos os estímulos distraidores. Seu centro mais importante localiza-se em uma área do córtex frontal: a porção mais anterior de uma região conhecida como giro do cíngulo **(Fig. 3.4)**, situado na parte interna do hemisfério cerebral, que fica adjacente ao outro hemisfério.

É bom lembrar que uma função importante dessa atenção executiva é que ela está relacionada aos mecanismos de autorregulação, ou seja, com a capacidade de modular o comportamento de acordo com as demandas cognitivas, emocionais e sociais de uma determinada situação. Dessa forma, a atenção executiva é importante para o bom funcionamento da aprendizagem consciente. Isso fica claro quan-

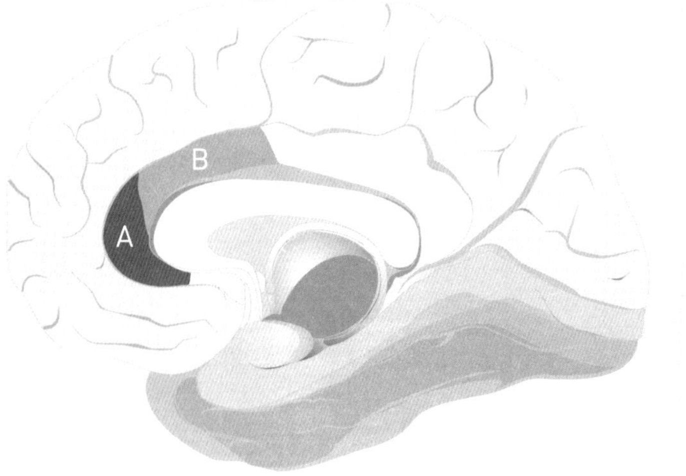

FIGURA 3.4
As regiões assinaladas com as letras **A** e **B** pertencem ao giro do cíngulo, onde se localiza um circuito envolvido na manutenção da atenção. A área **A** se relaciona com os processos que implicam emoção, enquanto a área **B** está associada a tarefas cognitivas.

do observamos indivíduos em que ela está alterada, como no transtorno de déficit de atenção/hiperatividade (TDAH), que será abordado no Capítulo 11.

A atenção executiva tem relevância tanto no controle cognitivo quanto no emocional, e é interessante notar que na região do giro do cíngulo podem ser identificadas duas áreas diferentes. Uma delas está organizada de forma a regular a atenção aos processos emocionais, enquanto a outra tem conexões que permitem coordenar a atenção voltada aos processos cognitivos **(Fig. 3.4)**. Existem evidências de que a atividade em uma dessas áreas pode ser inibidora do funcionamento da outra. Emoções negativas intensas, por exemplo, podem interferir na atenção ao processamento cognitivo. É claro que sabemos disso por nossas experiências do cotidiano, mas o avanço do conhecimento neurocientífico nos fornece agora a confirmação de sua base biológica.

As crianças, em seus primeiros meses de vida, ainda não possuem esses sistemas amadurecidos e sua atenção é basicamente regulada pelos estímulos periféricos. Aos poucos, vão adquirindo a capacidade de dirigir sua atenção até atingir os níveis encontrados nos adultos. Os idosos, por outro lado, têm mais uma vez dificuldade com a atenção, principalmente na inibição dos estímulos distraidores.

Adolescentes e adultos jovens frequentemente abusam de sua capacidade atencional, e pode-se observá-los estudando em um livro aberto em frente ao computador, que está ligado, enquanto escutam música em volume elevado em outro equipamento. Contudo, é bom lembrar que duas informações que viajem por um mesmo canal não serão processadas ao mesmo tempo, pois o cérebro será obrigado a alternar a atenção entre as informações concorrentes.

O Quadro 3.1 mostra como parte da informação é perdida quando focamos a atenção em alguns aspectos do ambiente.

Mesmo quando estamos dividindo a atenção pela utilização de canais sensoriais diferentes, o desempenho não é o mesmo, e aspectos importantes da informação podem ser perdidos. Isso ocorre, principalmente, se a demanda de um dos canais é aumentada. Podemos, por exemplo, dirigir um carro e ouvir rádio ao mesmo tempo. Mas se prestamos mais atenção ao rádio podemos provocar um acidente e, se o tráfego está pesado, provavelmente não conseguiremos nos lembrar do que o rádio transmitiu naquele momento. Ao tentar dividir a atenção, o cérebro sempre processará melhor uma informação de cada vez.

Devemos ter em mente que o cérebro é um dispositivo aperfeiçoado pela natureza ao longo de milhões de anos de evolução com a finalidade de detectar

QUADRO 3.1

Leia no texto abaixo as palavras que estão em **negrito**:

Em um texto homem **sobre** carro **a atenção** casa **um ponto** menino **importante é** chapéu **que o** sapato **material** doce **a ser** homem **lido** carro **pelo** casa **sujeito** menino **na** chapéu **tarefa** sapato **relevante** doce **deve** homem **ser** carro **não só** casa **coerente** menino **mas também** chapéu **gramaticalmente** sapato **correto** doce **sem** homem **ser** carro **muito** casa **fácil** menino **de modo** chapéu **que** sapato **toda** doce **a** homem **atenção** carro **seja** casa **bastante** menino **mobilizada** chapéu **para** sapato **entender** doce **a leitura**.

Observe que ao percorrer o texto prestando atenção às palavras em negrito, deve ter passado despercebido que as palavras em caracteres normais se repetem e são sempre as mesmas: homem, carro, casa, menino, chapéu, sapato e doce.

Fonte: Modificado de Wolfe, P. (2001) *Brain matters*: translating the research to classroom practice. Alexandria: ASCD.

no ambiente os estímulos que sejam importantes para a sobrevivência do indivíduo e da espécie. Ou seja, o cérebro está permanentemente preparado para apreender os estímulos significantes e aprender as lições que daí possam decorrer.

Essa é uma boa notícia para os professores, ao mesmo tempo em que é, talvez, o maior desafio que têm no ambiente escolar. Podemos dizer que o cérebro tem uma motivação intrínseca para aprender, mas só está disposto a fazê-lo para aquilo que reconheça como significante. Portanto, a maneira primordial de capturar a atenção é apresentar o conteúdo a ser estudado de maneira que os alunos o reconheçam como importante.

O filósofo Sêneca, há cerca de 2 mil anos, dizia que nos primeiros anos se aprendia mais para a escola que para a vida e esse é um problema que chegou até nossos dias. A sobrevivência, na escola, pode significar simplesmente aprender para passar na prova. E depois, rapidamente, esquecer.

Quem ensina precisa ter sempre presente a indagação: por que aprender isso? E em seguida: qual a melhor forma de apresentar isso aos alunos, de modo que eles o reconheçam como significante?

Terá mais chance de ser significante aquilo que tenha ligações com o que já é conhecido, que atenda a expectativas ou que seja estimulante e agradável. Uma exposição prévia do assunto a ser aprendido, que faça ligações do seu conteúdo com o cotidiano do aprendiz e que crie as expectativas adequadas é uma boa forma de atingir esse objetivo.

Um ambiente estimulante e agradável pode ser criado envolvendo os estudantes em atividades em que eles assumam um papel ativo e não sejam meros expectadores. Lições centradas nos alunos, o uso da interatividade, bem como a apresentação e a supervisão de metas a serem atingidas são também recursos compatíveis com o que conhecemos do funcionamento dos processos atencionais.

Por outro lado, o manejo do ambiente tem grande importância. A minimização de elementos distraidores e a flexibilização dos recursos didáticos, com o uso adequado da voz, da postura e de elementos como o humor e a música podem ser essenciais, principalmente para estudantes de menor idade, mas também para plateias mais maduras. É bom lembrar que a novidade e o contraste são eficientes na captura da atenção.

Sabemos que a manutenção da atenção por um período prolongado exige a ativação de circuitos neurais específicos, e que, após algum tempo, a tendência é que o foco atencional seja desviado por outros estímulos do ambiente ou por outros processos centrais, como novos pensamentos, por exemplo. Portanto, exposições muito extensas dificilmente serão capazes de manter por todo o tempo o foco atencional, sendo importante dividi-las em intervalos menores. Isso pode ser feito por meio de pausas para descanso, por intermédio do humor, de modo a provocar relaxamento, ou pela divisão do tempo disponível em diferentes estratégias pedagógicas, ou módulos, em que o foco atencional possa ser dirigido para os aspectos específicos do conteúdo apresentado.

RESUMO

1 O cérebro não tem necessidade nem capacidade de processar todas as informações que chegam a ele. Por meio da atenção ele pode dedicar-se às informações importantes, ignorando as que são desnecessárias.

2 A atenção não é um fenômeno unitário e existem diferentes mecanismos pelos quais ela pode se regular. Uma maneira de classificar a atenção é entre atenção reflexa, comandada por estímulos periféricos, e atenção voluntária, cujos mecanismos de controles são centrais.

3 Existem pelo menos três circuitos nervosos importantes para o fenômeno da atenção. O primeiro mantém os níveis de vigilância ou alerta. O segundo é orientador e desliga o foco de atenção de um ponto e dirige-o em outro sentido, permitindo ainda uma maior discriminação do item a ser observado. O terceiro é o circuito executivo, que mantém a atenção e inibe os distraidores até que o objetivo seja alcançado.

4 O cérebro é um dispositivo criado ao longo da evolução para observar o ambiente e apreender o que for importante para a sobrevivência do indivíduo ou da espécie. Ele prestará atenção no que for julgado relevante ou com significância.

5 Terá mais chance de ser considerado como significante e, portanto, alvo da atenção, aquilo que faça sentido no contexto em que vive o indivíduo, que tenha ligações com o que já é conhecido, que atenda a expectativas ou que seja estimulante e agradável.

4

A CENTRAL DE OPERAÇÕES

Neste capítulo, veremos a memória operacional (ou memória de trabalho), que é importante para manter as informações na consciência por algum tempo e para criar as condições para o seu armazenamento permanente.

A MEMÓRIA OPERACIONAL OU MEMÓRIA DE TRABALHO

A impressão inicial quando pensamos na memória é a de que se trata de um fenômeno unitário, responsável por nossas lembranças conscientes. Na realidade, existem diferentes tipos de memória que comportam subdivisões, das quais se encarregam sistemas e estruturas cerebrais diferentes.

Uma forma tradicional de classificar a memória leva em conta a sua duração. Por essa classificação, haveria uma memória de curto prazo, ou de curta duração, encarregada de armazenar acontecimentos recentes, e uma memória de longo prazo, ou de longa duração, responsável pelo registro de nossas lembranças permanentes. Hoje, o avanço das pesquisas no campo da psicologia cognitiva e das neurociências permitiu traçar um quadro bem mais complexo, resultando no aparecimento de outras classificações que explicam melhor o funcionamento de nossa memória.

Uma distinção importante é reconhecer que existem conhecimentos adquiridos, lembrados e utilizados conscientemente, e outros em que a memória se manifesta sem esforço ou intenção consciente, sem que tenhamos consciência de que estamos nos lembrando de alguma coisa. Os do primeiro tipo vão constituir o que chamamos de **memória explícita**, enquanto os do segundo constituem a **me-**

mória implícita. Como exemplo da primeira poderíamos citar a lembrança do que comemos no almoço ou de nosso número de telefone. São exemplos de memória implícita a habilidade de escovar os dentes ou de andar de bicicleta.

Em relação à memória explícita, podemos distinguir uma forma de armazenamento que é transitória, e uma outra que é permanente. Começaremos nosso estudo por essa memória transitória, que é extremamente importante para a regulação cotidiana do nosso comportamento, que antes era conhecida como memória de curta duração e é agora denominada **memória operacional** ou **memória de trabalho**.

Já sabemos que uma informação relevante, para se tornar consciente, tem que ultrapassar inicialmente o filtro da atenção. Admite-se que a primeira impressão em nossa consciência se faz por meio de uma **memória sensorial**, ou memória imediata, que tem a duração de alguns segundos e corresponde apenas à ativação dos sistemas sensoriais relacionados a ela. Se a informação for considerada relevante, poderá ser mantida; do contrário, será descartada.

Considere como exemplo a seguinte situação: Um homem está em frente ao televisor, atento ao programa que está sendo exibido. A esposa se aproxima e diz: "Fulano, você levou o lixo para fora?". Sem resposta, ela insiste: "Fulano, você ouviu o que eu disse?" Ele, então, recorrendo à memória sensorial, responde: "Se eu pus o lixo para fora?". Note que a informação ficou gravada por segundos e se perderia se não fosse ativada.

Identificada a relevância, a informação será mantida na consciência por um tempo maior, por meio de um **sistema de repetição**, que pode ser feito por recursos verbais ou por meio da imaginação visual. Os especialistas se referem a esses processos utilizando como metáfora uma "alça fonológica" para o processamento verbal, que pode ser feito silenciosamente ou em voz alta, e um "esboço visioespacial" para o processamento visual. Existem evidências de que esses dois processos dependem de sistemas neurais diferentes, localizados no córtex cerebral. Sabemos que cada um deles pode processar informações independentemente, como, por exemplo, quando guardamos mentalmente um endereço (processamento verbal) enquanto nos orientamos manipulando um mapa (processamento espacial) **(Fig. 4.1)**.

A todo o momento dependemos do funcionamento da memória de trabalho para desempenhar nossas tarefas do dia a dia. Suponha que estamos interessados em guardar um número de telefone. Enquanto mantemos mentalmente a prática de repetição, a informação pode ser conservada na consciência. Uma vez atingido o objetivo – no caso, se completamos a ligação telefônica –, a informação poderá ser descartada e esquecida.

O sistema de repetição tem uma capacidade limitada quanto ao número de itens que podem ser mantidos em processamento, e admite-se que esse número é

FIGURA 4.1
Uma informação, como um endereço, pode ser mantida na memória operacional por um processo de repetição que envolve artifícios verbais (alça fonológica) ou espaciais (esboço visioespacial).

o que pode ser repetido dentro de um intervalo de 2 segundos. Pode-se comparar o procedimento com o que acontece com o malabarista que joga bolas e as sustenta no espaço. O número dessas bolas está limitado pelo tempo necessário para mantê-las em movimento. Naturalmente, esse processo envolve também a atenção, e do seu controle participa o circuito executivo, mencionado no capítulo anterior.

A memória sensorial e o sistema de repetição são componentes essenciais da memória operacional. Esse tipo de memória, embora transitória, tem a função não só de reter a informação, mas é capaz também de processar o seu conteúdo, modificando-o. Os sistemas neurais responsáveis por ela constituem uma unidade de processamento que lida com vários tipos de informação, como sons, imagens e pensamentos, mantendo-os disponíveis para que possam ser utilizados para atividades como a solução de problemas, o raciocínio e a compreensão.

Como já mencionamos, a memória operacional se superpõe um pouco ao antigo conceito de memória de curta duração, e podemos imaginá-la sob a forma de uma sala, como mostrado na Figura 4.2, na qual se encontram os elementos necessários para o trabalho consciente em um determinado momento. Naquela figura, os processos que estamos examinando são representados sob a forma de um quadro de avisos e uma mesa de trabalho, onde a informação é mantida por algum tempo, podendo ser manipulada de acordo com a necessidade. Por meio dos artifícios mencionados, uma determinada lembrança pode ser mantida por um intervalo de tempo da ordem de minutos antes de ser posta de lado.

A memória de trabalho dispõe contudo de um processo adicional que vai permitir a conservação da informação por mais tempo. Isso é feito por meio da **ativação de registros** já armazenados no cérebro, tornando-os acessíveis à consciência para o uso na ocasião. Se uma informação for reativada um número suficiente de vezes, ou se puder ser associada a sinais e pistas que levam a registros já disponíveis, a memória operacional poderá conservá-la em disponibilidade por um período bem maior, que pode chegar a horas ou mesmo dias.

Tomemos como exemplo a situação em que estacionamos o carro em um lugar não habitual. Essa informação precisa ser conservada por um período que pode tomar todo o dia. Geralmente reativamos essa informação periodicamente, ou prestamos atenção a alguns sinais, ou fazemos associações que permitirão desencadear a lembrança no momento que dela necessitarmos. Não sendo mais necessária ela é esquecida, e provavelmente não seremos capazes de lembrar onde estacionamos o carro há uma semana.

Na Figura 4.2 o processo de trazer a informação a um nível mais alto de ativação é representado pela chegada de arquivos que ficam disponíveis junto à mesa de trabalho, para serem utilizados e, eventualmente, associados ao registro definitivo, de que falaremos no Capítulo 5.

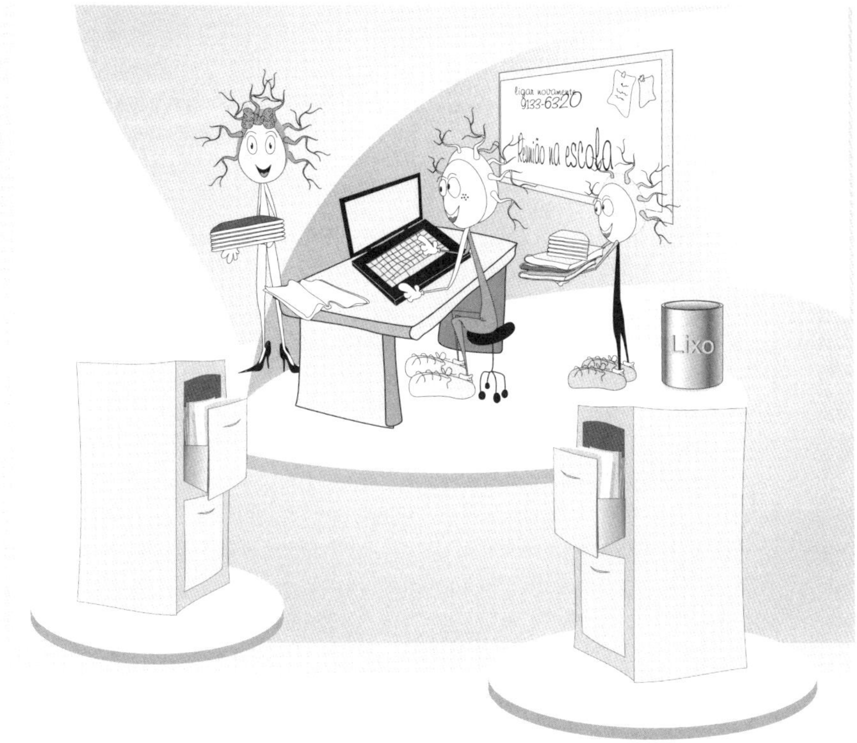

FIGURA 4.2
A memória de trabalho, ou memória operacional, pode ser comparada a uma central de operações, onde as informações são mantidas e manipuladas na consciência pelo tempo em que elas forem necessárias. Algumas informações já arquivadas no cérebro podem ser trazidas à consciência, de acordo com as necessidades da ocasião.

O Quadro 4.1, a seguir, ajuda a compreender a importância da ativação de informações já disponíveis para o funcionamento da memória de trabalho.

Consideramos como memória, usualmente, o registro que dispomos de coisas já acontecidas. Contudo, existe um outro tipo de memória que está relacionada não com o tempo passado, mas com o futuro: trata-se da habilidade de memorizar eventos ou situações que estão por vir, ou o "lembrar de lembrar". Esse tipo de memória, chamada **memória prospectiva,** tem importância fundamental no nosso cotidiano, pois precisamos fazer uso dela continuamente para o planejamento de nossas estratégias comportamentais, que levem a um objetivo definido, ou mesmo para a supervisão de nossa agenda diária. As pessoas com problemas na memória

QUADRO 4.1

Olhe para as letras abaixo e procure memorizá-las. Leia-as pelo menos duas vezes, cubra-as e tente repeti-las em sequência:

C D I P T U C P F D N A I B M

Como a sequência ultrapassa a capacidade dos sistemas de repetição da memória de trabalho, é provável que você não tenha obtido muito êxito.

Veja agora as mesmas letras, agrupadas de forma que provavelmente devem fazer sentido para você:

CD IPTU CPF DNA IBM

Tente memorizá-las novamente e verá que o resultado é diferente, pois não só o número de itens ficou menor quando os agrupamos como, sob o formato de siglas, foi possível mobilizar informações já disponíveis no cérebro.

prospectiva geralmente são consideradas desorganizadas ou omissas, o que pode ocasionar dificuldades na vida social e profissional.

Sabemos que a memória prospectiva tem alguns aspectos parecidos com a memória operacional e que ambas dependem do funcionamento da região anterior do lobo frontal, a **região pré-frontal** (**Fig. 4.3**). Lesões nessa área podem prejudicar tanto uma quanto a outra dessas formas de memória[1]. É interessante lembrar que a região pré-frontal, como mencionado no Capítulo 1, tem amadurecimento lento e só se torna plenamente funcional na época da adolescência, ao mesmo tempo em que é muito sensível ao processo do envelhecimento cerebral. Dessa forma, podemos esperar transformações na capacidade da memória operacional ao longo da vida e sabemos que os idosos costumam ter uma memória de trabalho e uma memória prospectiva menos eficiente que a dos jovens.

É bom deixar claro que não existe um "centro" responsável pela memória operacional, cujo funcionamento é, na verdade, distribuído por vários circuitos ou sistemas cerebrais. O córtex da região pré-frontal coordena e integra ações desenvolvidas em várias áreas corticais e subcorticais, da mesma forma, não

[1] Os estudos com técnicas de neuroimagem mostram a existência de um circuito do qual faz parte, além da região pré-frontal, uma outra região situada no córtex parietal também envolvida nessas funções.

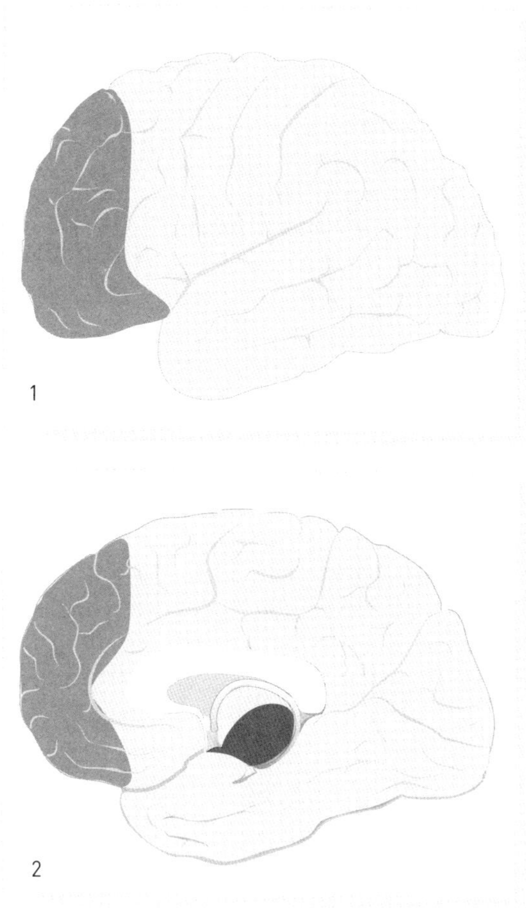

FIGURA 4.3
As áreas mais escuras delimitam o córtex pré-frontal, respectivamente na face dorso-lateral **(1)** e medial **(2)** do cérebro.

existem homúnculos, ainda que sob a forma de neurônio (como representados na Figura 4.2), que cuidam de nossas atividades mentais. Os neurônios, como sabemos, exercem suas funções conduzindo a informação, sob a forma de atividade elétrica, ao longo de seus prolongamentos e repassando-a para outras células com a ajuda de neurotransmissores. Um centro, como mostrado na Figura 4.2, é apenas uma metáfora que nos auxilia a registrar as informações sobre o assunto não só por uma forma verbal, como descrito no texto, mas também por meio de uma imagem visual, o que facilita a sua apreensão.

A memória de trabalho é extremamente importante para o desempenho de nossas rotinas diárias. Acredita-se que pacientes psiquiátricos, como os portadores de esquizofrenia, tenham aí boa parte dos seus problemas. Uma central de operações desorganizada e que contenha itens estranhos ou desnecessários aos processos cognitivos do momento impedirá o cérebro de lidar com os problemas imediatos e de interagir de maneira adequada com o ambiente. É fácil imaginar, por outro lado, como o bom funcionamento da memória operacional é fundamental nos processos de aprendizagem.

A vida moderna nos obriga a lidar simultaneamente com um número muito grande de informações, que chegam até nós em todos os momentos, sob a forma de sons, imagens estáticas ou em movimento, mensagens em rede, interações sociais, etc. Nossa memória de trabalho, muitas vezes, não consegue processar tudo o que dela é exigido, e é comum ouvirmos, mesmo de pessoas jovens, que sua memória não está funcionando bem.

Conhecendo o funcionamento da memória operacional e suas limitações, que ações podemos empreender para otimizar o seu funcionamento? O melhor, naturalmente, é que fiquemos atentos às suas limitações e sejamos seletivos sobre a informação que devemos ou queremos processar. Com relação a crianças e jovens, é importante a supervisão dos pais e professores, tanto em casa como no ambiente escolar. Nos momentos adequados, é bom limitar os estímulos e privilegiar a informação que deve ser aprendida. É recomendável a existência de uma certa disciplina, com locais e horas dedicados ao estudo e em que os estímulos distraidores devem ser reduzidos.

Contudo, nada disso será suficiente se no quadro de avisos e na mesa da sala de operações não estiverem as informações que precisam ser processadas na aprendizagem. É bom não esquecer, mais uma vez, que o cérebro se dedica a aprender aquilo que ele percebe como significante e, portanto, a melhor maneira de envolvê-lo é fazer com que o conhecimento novo esteja de acordo com suas expectativas e que tenha ligações com o que já é conhecido e tido como importante para o aprendiz.

Como obter uma boa nota na avaliação é com frequência o único objetivo do estudo vislumbrado pelos estudantes, é comum que eles estudem somente nas vésperas da prova, de forma que um grande número de informações se acumula, sem muita elaboração, na memória operacional. Como essa memória é transitória, caso não haja novas ativações da mesma experiência, o resultado é um rápido esquecimento **(Fig. 4.4)**. É preciso ter em mente que a aprendizagem definitiva só se fará com a formação e estabilização de novas conexões sinápticas, o que requer tempo e esforço pessoal.

Um antídoto a ser considerado para a sobrecarga da memória de trabalho é a prática conhecida como higiene mental. Momentos de repouso e de lazer são importantes para, usando nossa metáfora da central de operações, limpar a mesa de trabalho, apagar as mensagens do quadro de avisos e deixar o ambiente preparado para novas ocupações ou para retomar as tarefas antigas com mais criatividade.

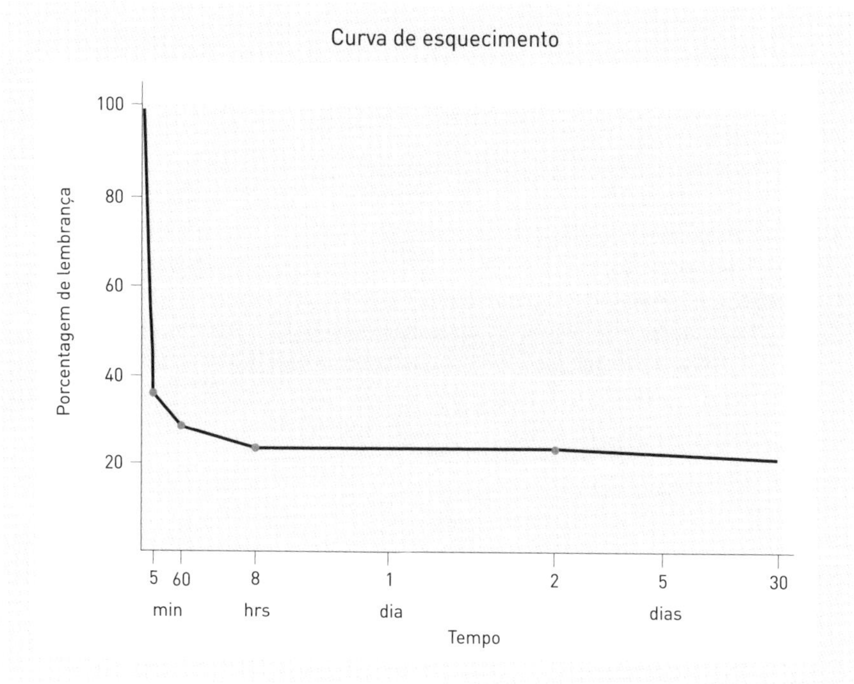

FIGURA 4.4

O gráfico mostra a curva do esquecimento quando não há novas repetições da aprendizagem. O processo é rápido nas primeiras horas, seguido de uma fase mais lenta (Ebbinghaus, 1885).

RESUMO

1. A memória não é um fenômeno unitário, pois compreende várias subdivisões, as quais são processadas por sistemas neurais específicos.
2. A memória de trabalho, ou memória operacional, é uma memória transitória, *on line*, onde são armazenadas e processadas as informações necessárias ao desempenho de uma tarefa que requer a consciência.
3. Podemos identificar como componentes da memória de trabalho uma memória sensorial, um sistema de repetição e também um mecanismo de ativação dos registros armazenados de forma mais permanente no cérebro.
4. O funcionamento da memória de trabalho depende da coordenação executada, principalmente pela região pré-frontal do córtex cerebral. Essa região se ocupa também da memória prospectiva, o "lembrar de lembrar".
5. É importante exercer controle sobre a quantidade e a qualidade da informação que queremos ou devemos processar.
6. No ambiente de estudo, fazem diferença a criação de uma rotina e a utilização de locais com poucos estímulos distraidores. Lembrar, contudo, que o cérebro estará disposto a processar o que percebe como significante e gratificante.
7. O descanso e a higiene mental podem ajudar a manter a memória de trabalho menos sobrecarregada e pronta a processar as informações importantes.

5

OS ARQUIVOS INCONSTANTES

Neste capítulo, veremos os processos pelos quais o cérebro cria os registros duráveis da memória de longa duração e como esse conhecimento pode ser importante nas atividades educacionais.

A MEMÓRIA EXPLÍCITA E A MEMÓRIA IMPLÍCITA, O ESQUECIMENTO E O RECORDAR

No capítulo anterior estudamos a memória de trabalho, que tem uma característica transitória, e agora nos voltaremos para os processos que permitem registrar de forma mais prolongada as informações no cérebro. Esse tipo de memória é chamado tradicionalmente de memória de longa duração, e o conhecimento do seu funcionamento pode auxiliar na otimização da aprendizagem. É bom deixar claro os conceitos de aprendizagem e memória: o primeiro diz respeito ao processo de aquisição da informação, enquanto o segundo se refere à persistência dessa aprendizagem de uma forma que pode ser evidenciada posteriormente.

Como mencionamos anteriormente, boa parte de nossa aprendizagem e de nossa memória se faz por mecanismos que não envolvem processos conscientes no cérebro. Convém lembrar que a memória processada de forma inconsciente é chamada de **memória implícita**, enquanto chamamos de **memória explícita**[1] aquela da qual tomamos conhecimento, porque envolve os mecanismos conscientes.

[1] A memória explícita é também chamada de memória declarativa, porque podemos descrever seu conteúdo, ou falar sobre ela. Em contraposição, a memória implícita é chamada de memória não declarativa.

Vamos continuar a examinar aqui a memória explícita, como já havíamos feito no Capítulo 4.

Já sabemos que uma informação relevante deve passar pelo filtro da atenção e em seguida por um processo de codificação quando a experiência vivenciada ou a informação recebida provoca a ativação de neurônios, caracterizando a memória operacional, estudada no capítulo anterior. Dependendo da relevância da experiência ou da informação, poderão ocorrer alterações estruturais em circuitos nervosos específicos cujas sinapses se tornarão mais eficientes, permitindo o aparecimento de um **registro**. Para uma informação se fixar de forma definitiva no cérebro, ou seja, para que se forme o registro ou traço permanente, é necessário um trabalho adicional. Os estudos da psicologia cognitiva indicam que, nesta fase, são importantes os processos de **repetição**, **elaboração** e **consolidação**, que descreveremos a seguir.

Imaginemos alguém que conheça apenas um gato de cor parda e que se depare com um gato branco. Essa informação vai se associar ao registro já existente, do gato, acrescentando algo de novo, a cor branca. O novo conhecimento pode durar algum tempo, mas, como já vimos, se nunca mais se repetir, tem grande chance de se dissipar da lembrança. Suponha que a visão do gato branco estimule a curiosidade dessa pessoa, que vai buscar novas informações, conversando com outros, lendo sobre o assunto, pesquisando na internet, etc. Essas atividades trarão repetidamente os conhecimentos ou registros já existentes no cérebro para um alto nível de ativação, tornando-os disponíveis para a memória operacional e permitindo que outras informações se incorporem ao conjunto: gatos podem ter outras cores, raças e tamanhos; ou são carnívoros, gostam de peixe, têm bom equilíbrio, evitam água, etc. Todas essas novas informações estarão agora ligadas em uma rede de informações no cérebro, relacionada com o conceito "gato".

Nesse processo, observamos a **repetição** do uso da informação, juntamente com sua **elaboração**, ou seja, sua associação com os registros já existentes, o que fortalece o traço de memória e o torna mais durável. Quantas vezes mais se repetir essa atividade, o quanto mais ligações ou "ganchos" forem estabelecidos com informações disponíveis no cérebro, melhor será, pois o registro vai se fixar de forma mais permanente.

A elaboração pode ser feita de forma simples ou complexa, ou seja, ela pode envolver diferentes níveis de processamento. Podemos simplesmente decorar uma nova informação, mas o registro se tornará mais forte se procurarmos criar ativamente vínculos e relações daquele novo conteúdo com o que já está armazenado em nosso arquivo de conhecimentos. Informações aprendidas utilizando um nível mais complexo de elaboração têm mais chance de se tornarem um registro forte, uma vez que mais redes neurais estarão envolvidas.

Pela mesma razão, é importante e útil aproveitar, sempre que possível, mais de um canal sensorial de acesso ao cérebro. Além do processamento verbal, usar os processamentos auditivo, tátil, visual ou mesmo o olfato e a gustação. Além do texto, é bom fazer uso de figuras, imagens de vídeo, música, práticas que envolvam o corpo, etc.

Os processos de repetição e elaboração é que vão determinar a **força do registro** ou traço de memória que será formado. Informações muito repetidas, ou muito elaboradas, resultarão em novas conexões nervosas estabilizadas no cérebro. Elas se constituirão em registros fortes, que tendem a resistir ao tempo e mesmo a alterações do funcionamento cerebral. Nosso nome, data e local de nascimento, quem são nossos pais ou filhos são informações com essas características, ou seja, são registros fortes.

Os registros podem ser fortes ou fracos e podem estar em diferentes níveis de ativação em relação aos processos conscientes, como vimos ao tratar da memória de trabalho. O **nível de ativação** tem a ver com a disponibilidade, em determinado momento, para atingir a consciência. Ruídos de gatos brigando no telhado provavelmente trarão à tona, ou trarão para um nível de ativação mais alto, uma série de informações conhecidas sobre esses animais, que poderão se tornar conscientes caso seja necessário.

Podemos agora nos voltar a um outro processo, o da **consolidação**, que é indispensável para que os registros no cérebro sejam retidos por um tempo maior. Na consolidação ocorrem alterações biológicas nas ligações entre os neurônios, por meio das quais o registro vai se vincular a outros já existentes, tornando-se mais permanente. Essas alterações envolvem a produção de proteínas e outras substâncias que são utilizadas para o fortalecimento ou a construção de sinapses nos circuitos nervosos, facilitando a passagem do impulso nervoso. Trata-se de um processo que não ocorre instantaneamente, que demora algum tempo para ocorrer. Terminado o processo, novas memórias estarão consolidadas e serão menos vulneráveis ao desaparecimento do que as lembranças recentes.

Sabemos que uma amnésia ou perda da memória pode ser provocada, por exemplo, por drogas ou uma pancada na cabeça. Essa amnésia costuma abranger um período variável, mas, geralmente, não atinge as lembranças mais antigas, que já passaram pelo processo de consolidação.

Em meados do século XX surgiram evidências de que lesões na porção interna do lobo temporal (lobo temporal medial) faziam com que os pacientes se tornassem incapazes de armazenar novas informações, embora mantivessem as lembranças antigas e conservassem a sua memória de trabalho inteiramente funcional. As pesquisas mostraram que uma região do lobo temporal em particular, o **hipocampo** (**Fig. 5.1**), é importante para a consolidação de novas informações, e

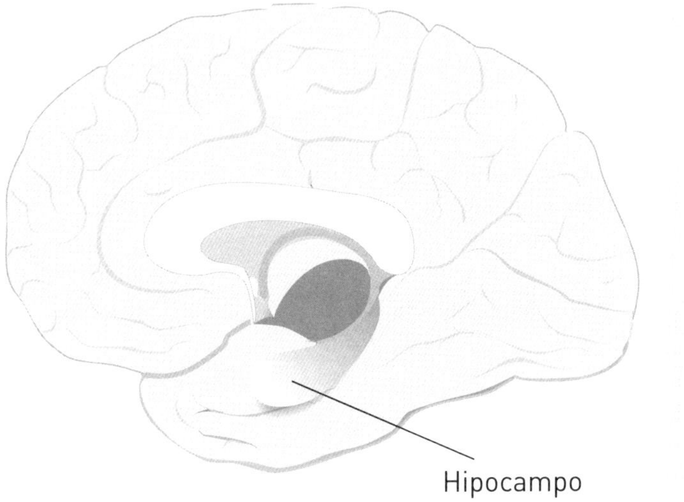

FIGURA 5.1
A figura mostra a localização do hipocampo, uma região importante para a consolidação das informações na memória explícita.

que sua lesão bilateral provoca o aparecimento dos sintomas relatados. Pacientes com lesão bilateral do hipocampo podem lembrar de fatos antigos e são capazes de manter na memória operacional a informação ou experiência que esteja acontecendo naquele momento. Basta, contudo, que se envolvam em outra atividade cognitiva e já não se lembram mais do que ocorreu há poucos minutos. Perdem a capacidade de estabelecer novos registros e permanecem, definitivamente, apenas com os conhecimentos adquiridos até o momento em que tenha ocorrido a lesão hipocampal.

Sabemos que o hipocampo e partes adjacentes do córtex temporal não são os locais de armazenamento dos registros, pois as memórias antigas se conservam depois de sua remoção (por uma cirurgia, por exemplo). São estruturas importantes porque se encarregam, de alguma forma, de coordenar o estabelecimento de novas ligações entre neurônios dos circuitos cerebrais que estarão envolvidos na retenção permanente das informações **(Fig. 5.2)**. São fundamentais, portanto, para a consolidação do traço da memória.

FIGURA 5.2
O hipocampo e as áreas corticais adjacentes são importantes na consolidação da memória, que envolve o estabelecimento de novas conexões entre as regiões corticais.

Existem evidências de que o fenômeno da consolidação ocorre durante o sono. Experimentos especialmente planejados mostram que a privação do sono impede ou prejudica a aprendizagem, ao passo que o sono normal a facilita. É durante o sono que os mecanismos eletrofisiológicos e moleculares envolvidos na formação de sinapses mais estáveis estão em funcionamento. É como se o cérebro, durante o sono, passasse a limpo as experiências vividas e as informações recebidas durante o período de vigília, tornando mais estáveis e definitivas aquelas que são mais significativas.

Mas como o cérebro armazena a informação nos processos da memória explícita? Tendemos a pensar que o registro se faz como em uma fotografia ou em um vídeo, que pode ser alcançado de forma completa e integral quando a ocasião é requerida. Na verdade, o registro de memória é fragmentário, ou seja, diferentes particularidades da informação são armazenadas em sistemas e circuitos localizados em diferentes regiões do cérebro. Veja na Figura 5.3 como, esquematicamente,

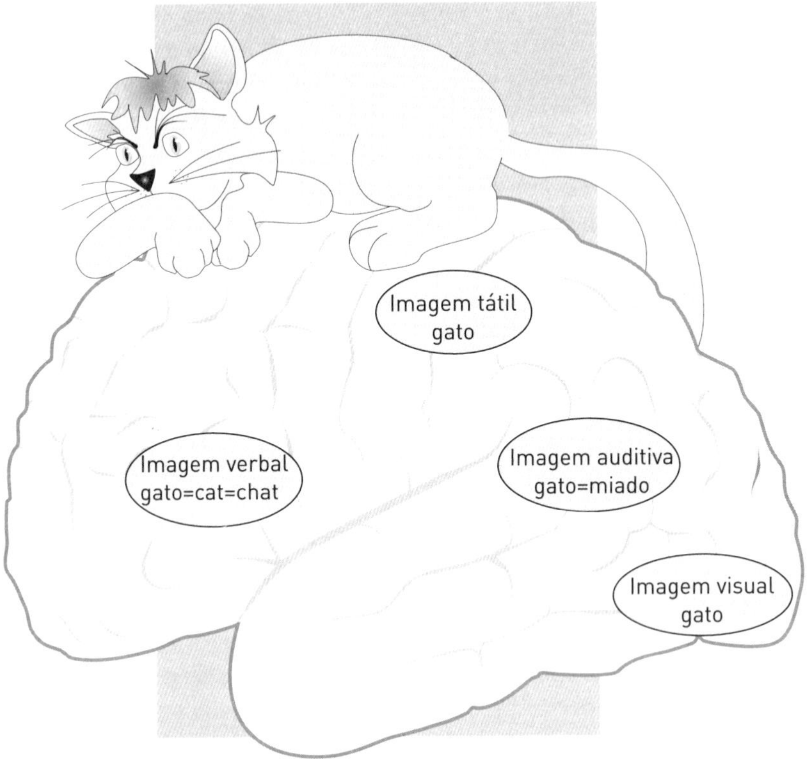

FIGURA 5.3
O cérebro armazena a memória de forma fragmentária: diferentes itens são arquivados em diferentes locais do córtex cerebral. A memória que surge em nossa consciência é construída por meio da ativação integrada dos seus diversos componentes.

isso pode ser feito. Utilizando o exemplo do gato, podemos ver que a imagem visual do animal será encontrada nas porções do cérebro que lidam com a visão, a impressão tátil que temos ao acariciar um gato estará armazenada nas áreas somestésicas, a imagem auditiva do miado será processada nas áreas relacionadas com a audição, o som, ou a grafia da palavra gato, bem como suas equivalentes em outras línguas, dependerá do funcionamento das regiões que tratam da linguagem, e assim sucessivamente.

Dessa forma, quando nos lembramos do gato, estamos ativando esses circuitos, que nos trazem à mente uma imagem unitária do que dele conhecemos. Quando aprendemos sobre gatos, por meio de repetições e elaborações, estamos ativando, formando e estabilizando conexões sinápticas entre esses diferentes circuitos, de tal forma que mais tarde teremos uma "assembleia de células" prontas a responder e que podem ser acessadas por qualquer ponto do sistema **(Fig. 5.4)**. Assim, o cheiro de gato, seu ruído ou o som da palavra que o designa são estímulos adequados para formar a lembrança completa do que entendemos por "gato", pois a ativação de um dos circuitos produz a ativação simultânea dos demais, resultando no acesso do registro integral do conceito.

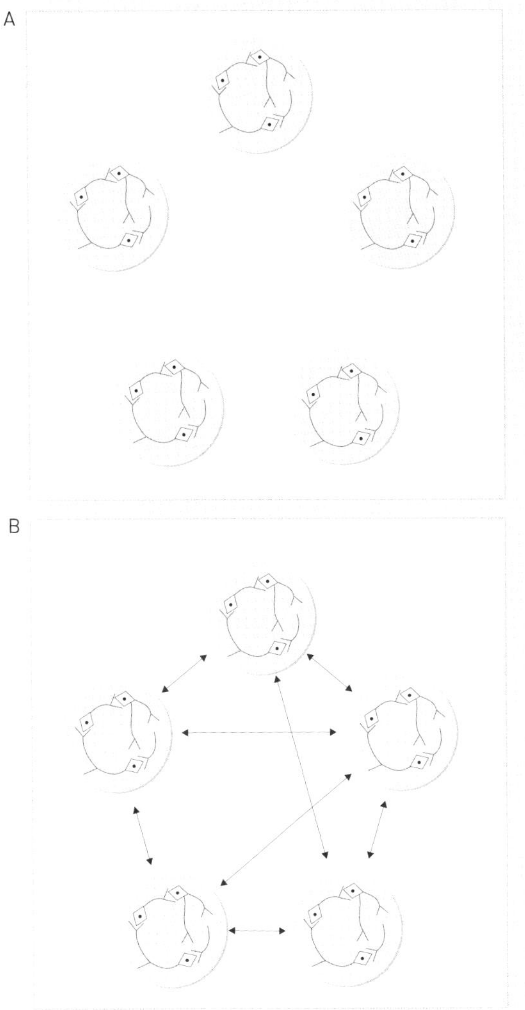

FIGURA 5.4
Diferentes circuitos, inicialmente isolados **(A)**, podem se interligar e passar a funcionar de forma integrada no estabelecimento de novas memórias **(B)**.

As informações na memória explícita são organizadas sob a forma de redes. Um determinado estímulo ou pista trará à consciência os registros de que necessitamos, além de ter o potencial de se espalhar, trazendo a um nível de ativação mais alto outros registros em redes relacionadas (**Fig. 5.5**). É por isso que quando imaginamos ou lembramos de algo, nosso pensamento pode "voar" por outras ideias que, de certa forma, se relacionam à nossa ideia inicial. Os centros cerebrais que regulam a memória de trabalho se encarregam de utilizar a informação pertinente e inibir aquelas que são distraidoras.

Portanto, nossa memória de pessoas, coisas, lugares ou eventos é armazenada de forma fragmentária, e nossas lembranças são feitas de reconstruções providenciadas a cada momento. O que recordamos de um local visitado há algum tempo, ou aquela viagem de férias que fizemos por ocasião da formatura são reconstituí-

FIGURA 5.5
A memória explícita se organiza por meio de redes semânticas, de forma que um determinado registro pode ativar outros relacionados a diferentes contextos. As associações corretas são selecionadas de acordo com as necessidades de cada momento.

dos por nosso cérebro a cada vez que ativamos sua lembrança. Pesquisas têm mostrado que essas reconstruções são inconstantes, pois sofrem variações com o passar do tempo ou com o nosso estado mental e podem sofrer interferências de outras informações. Nossa memória, dessa forma, tem uma natureza bem mais frágil do que gostaríamos de admitir. Um colega professor costumava advertir, acertadamente: Não se iluda, o passado muda!

A Figura 5.6 procura mostrar, de forma esquemática, um resumo do que dissemos até aqui sobre a forma de armazenamento e recuperação da memória explícita. Examine-a para acompanhar esses processos, pois, como já vimos, o uso de um outro canal de acesso ao cérebro, além do verbal, facilita a memorização do que queremos aprender.

Existe ainda uma divisão da memória declarativa, ou explícita, da qual não falamos até agora. As lembranças que temos dos eventos de nossa vida pessoal, de nossa biografia, constituem o que chamamos de **memória episódica**, enquanto chamamos de **memória semântica** as lembranças que temos das coisas e dos processos que nos rodeiam. Podemos dizer que essa última se refere ao conhecimento do "quê", "como" e "por quê", enquanto a primeira está ligada ao conhecimento do "quando" e "onde" em relação a nossas vidas pessoais. Por exemplo, podemos saber que a água é formada por átomos de hidrogênio e oxigênio, e isso faz parte de nossa memória semântica. Se nos lembramos que aprendemos essa informação com uma determinada professora ou quando frequentávamos tal escola, isso pertence à memória episódica. Essa divisão pode não parecer importante, mas existem evidências de que elas dependem de sistemas cerebrais diferentes e podem ser alteradas separadamente.

Podemos examinar agora a memória implícita, que, como sabemos, ocorre de maneira independente dos processos conscientes. Essa memória também se divide em diferentes processos, mas o tipo mais importante, porque mais observável no nosso cotidiano, é o que chamamos de **memória de procedimentos**[2]. Trata-se de uma memória sensório-motora que se manifesta quando executamos procedimentos ou habilidades cotidianos. Quando aprendemos a andar de bicicleta, a tocar um instrumento musical, a datilografar rapidamente no computador ou mesmo a executar coisas mais simples, como amarrar os cadarços do sapato ou abotoar os botões de nossas roupas, estamos utilizando a memória de procedimentos. Ela instala-se essencialmente por meio do processo de repetição e, diferentemente da memória explícita, não se organiza em redes, mas se limita ao

[2] Ela é chamada de *procedural memory*, em inglês.

Preferências
Experiências anteriores
Necessidades
Estado emocional

FIGURA 5.6
Uma representação integrada de vários processos da atenção e da memória que são importantes no processo da aprendizagem. Os detalhes são descritos no texto.

aperfeiçoamento ou reforço das conexões em circuitos específicos. Ou seja, quando treinamos uma habilidade motora, não estamos melhorando outras habilidades motoras não relacionadas.

Outra diferença entre a memória explícita e a implícita é que a segunda não depende do funcionamento do hipocampo e do lobo temporal medial, pois os pacientes com lesões nessas áreas são capazes de aprender novos procedimentos. As pesquisas indicam que esse tipo de memória é coordenado no cérebro pelo **corpo estriado** (**Fig. 1.3**), uma parte dos agrupamentos de neurônios situados profundamente nos hemisférios cerebrais e que estão envolvidos também na regulação da motricidade.

Utilizamos a memória de procedimentos a todo o momento, e ela é fundamental em algumas atividades humanas, como os esportes, em muitas manifestações artísticas, como a dança, ou em profissões que envolvem habilidades motoras, como a cirurgia, por exemplo.

Agora que já vimos como um novo conhecimento é armazenado no sistema nervoso, é interessante também verificarmos como essa memória é recuperada e, eventualmente, como nos esquecemos do que foi aprendido.

Podemos nos recordar de algo na presença de uma pista ou sinal que deflagre aquela lembrança ou provoque a sua reconstrução, ou podemos reconhecer, utilizando nossos sentidos, uma sensação anteriormente vivida. Existem evidências, obtidas por técnicas de neuroimagem, que indicam que a recuperação das informações é feita ativamente e depende do funcionamento da **região pré-frontal**, também envolvida no controle da memória de trabalho (**Fig. 4.3**).

É interessante mencionar aqui que a recuperação da informação será mais eficiente dependendo da maneira como ela foi armazenada. Se o processo de elaboração foi complexo, criando muitos vínculos com as informações existentes, haverá uma rede de interconexões mais extensa, que poderá ser acessada em múltiplos pontos, tornando o acesso mais fácil.

Quanto ao esquecimento, assim como novas conexões sinápticas podem ser formadas por meio da prática, elas podem também ser desfeitas pelo desuso. Logo, muito do que aprendemos se perde ao longo do tempo. Aliás, sabemos que há um esquecimento mais rápido no início do processo, seguido de uma curva de esquecimento que é mais lenta ao longo do tempo. O cérebro é um dispositivo aperfeiçoado para guardar aquilo que se repete com frequência, pois provavelmente esses serão os dados relevantes para a sobrevivência. Dessa forma, vamos nos esquecendo daquilo que não utilizamos ou com o que não nos deparamos com frequência.

Por outro lado, uma informação pode estar ainda presente, mas seu acesso pode ser dificultado pelo enfraquecimento e pelo desuso das ligações que podem recuperá-la. É por isso que, muitas vezes, podemos reaprender mais facilmente algo que julgávamos estar totalmente esquecido.

Do que vimos até aqui, quais as implicações no nosso cotidiano e no cotidiano das salas de aula? Na verdade, os conhecimentos da psicologia cognitiva e da neurobiologia não trazem uma receita para a construção de uma estratégia infalível a ser utilizada no ambiente escolar. Contudo, sabemos que as estratégias eficientes serão aquelas que atentem para os princípios do funcionamento do cérebro, que devem ser respeitados para uma aprendizagem mais eficiente. Como já vimos, a repetição e a elaboração são importantes, e ainda mais se combinadas com a consolidação.

Para o professor, é importante criar oportunidades em que o mesmo assunto possa ser examinado mais de uma vez e em diferentes contextos, para que aqueles processos possam ocorrer. A consolidação, resultante de novas conexões entre as células nervosas e do reforço de suas ligações, demanda tempo e nutrientes e, portanto, não ocorre de imediato. Não aprendemos tudo o que estudamos de um dia para o outro e muito menos o que apenas presenciamos na sala de aula.

Como a consolidação ocorre durante o sono, os períodos de descanso ajudam a fixar o que foi aprendido e preparam o cérebro para novas associações. Sabemos também que intervalos curtos de estudo são mais eficientes do que um grande mutirão ou esforço prolongado. Quando os períodos de estudo são menores, é mais fácil manter a atenção; além disso, a repetição é importante, como já vimos. Portanto, se dispomos de oito horas para aprender algo, é melhor fazê-lo em quatro períodos de duas horas do que em dois períodos de quatro horas, especialmente se nos intervalos ocorrerem períodos de sono.

Outro aspecto importante é a utilização de diferentes canais de acesso ao cérebro além do verbal. As gerações mais antigas aprendiam principalmente por meio dos textos escritos, mas os jovens atualmente têm à sua disposição uma imensa parafernália de material multimídia, principalmente através da internet, o que é muito bom, uma vez que há a oportunidade de se construir uma rede neuronal mais complexa. Neste caso, talvez o papel mais importante do professor seja auxiliar na seleção e orientação, para a exclusão das muitas informações pouco confiáveis ou irrelevantes.

Naturalmente, no aprendizado de habilidades práticas deve ser privilegiado o exercício reiterado pelos próprios alunos, uma vez que a construção das conexões neurais se faz, como já vimos, por meio da repetição.

Dentre as estratégias comumente usadas na sala de aula, o estudo em grupo pode ser bastante eficiente, exatamente porque propicia a repetição e a elaboração. Esta última também ocorre na preparação de um texto escrito, desde que não seja utilizada a prática, tão comum hoje, do "copiar e colar" com o auxílio do computador.

O estudo em grupo, seguido de uma apresentação para os colegas, pode ser ainda mais produtivo, pois a exposição clara nos obriga a uma elaboração profunda das informações. Sêneca dizia que *docendo discimos*, ou seja, ao ensinar aprendemos. Eis mais um exemplo de como as neurociências vêm nos ajudar a compreender melhor a razão de alguns conhecimentos ou práticas que a humanidade já destacou ao longo dos séculos.

RESUMO

1 A memória de longa duração pode ser explícita, se faz uso dos processos conscientes, ou implícita, se não o faz.

2 Os registros, ou traços da memória explícita, se formam por meio dos processos de repetição, elaboração e consolidação. Os registros podem ser fortes ou fracos e podem estar em diferentes níveis de ativação em relação à atividade consciente.

3 A consolidação da aprendizagem se faz durante o sono e depende do hipocampo. Nela se constroem conexões entre diferentes áreas do córtex cerebral que armazenam a informação.

4 A memória explícita é armazenada sob a forma de redes semânticas em diferentes áreas do córtex cerebral. As lembranças de eventos, de coisas ou pessoas são reconstruídas a partir dos registros existentes e podem variar ao longo do tempo.

5 Existem diferentes tipos de memória implícita, sendo importante a memória de procedimentos, que envolve as habilidades sensório-motoras que acumulamos no cotidiano.

6 A recuperação da informação, ou seja, a evocação de lembranças parece se fazer de forma ativa, envolvendo o córtex pré-frontal.

7 As estratégias de aprendizagem que têm mais chance de obter sucesso são aquelas que levam em conta a forma do cérebro aprender. É importante respeitar os processos de repetição, elaboração e consolidação. Também faz diferença utilizar diferentes canais de acesso ao cérebro e de processamento da informação.

6

ALLEGRO MODERATO

> Neste capítulo, veremos as emoções, observando sua importância biológica e seu processamento pelas estruturas nervosas, bem como suas relações com a cognição e a aprendizagem.

A EMOÇÃO E SUAS RELAÇÕES COM A COGNIÇÃO E A APRENDIZAGEM

Embora todos saibamos, intuitivamente, o que são as emoções e possamos dar exemplos delas, como alegria, raiva, medo ou tristeza, é comum haver dificuldade em conceituá-las ou explicar para que servem. Do ponto de vista que aqui nos interessa, as emoções são fenômenos que assinalam a presença de algo importante ou significante em um determinado momento na vida de um indivíduo. Elas se manifestam por meio de alterações na sua fisiologia e nos seus processos mentais e mobilizam os recursos cognitivos existentes, como a atenção e a percepção. Além disso, elas alteram a fisiologia do organismo visando uma aproximação, confronto ou afastamento e, frequentemente, costumam determinar a escolha das ações que se seguirão.

As emoções atuam como um sinalizador interno de que algo importante está ocorrendo, e são, também, um eficiente mecanismo de sinalização intragrupal, já que podemos reconhecer as emoções uns dos outros e, por meio delas, comunicar situações e decisões relevantes aos demais indivíduos ao nosso redor. Não só os seres humanos, mas também os animais são capazes de perceber as respostas emocionais dos seus semelhantes e reagir prontamente. Claro que isso tem um valor de sobrevivência, pois o medo demonstrado por um membro do grupo pode servir de aviso para que todos respondam sem demora, de forma a fazer face ao perigo que se apresenta.

Charles Darwin, o criador da teoria da evolução, já havia chamado a atenção para a importância das expressões emocionais no comportamento animal, e as pesquisas posteriores vieram demonstrar que as expressões faciais relativas às emoções básicas (alegria, tristeza, medo, raiva, surpresa e asco ou desprezo) são invariáveis nas diversas culturas humanas, o que as torna facilmente identificáveis, mesmo para indivíduos de culturas distantes. O fenômeno emocional tem raízes biológicas antigas e foi mantido na evolução exatamente por seu valor para a sobrevivência das espécies e dos indivíduos.

Na nossa cultura, as emoções costumam ser consideradas um resíduo da evolução animal e são tidas como um elemento perturbador para a tomada de decisões racionais. Acredita-se que os seres humanos deveriam controlar suas emoções para que a razão prevaleça. Na verdade, as neurociências têm mostrado que os processos cognitivos e emocionais estão profundamente entrelaçados no funcionamento do cérebro e têm tornado evidente que as emoções são importantes para que o comportamento mais adequado à sobrevivência seja selecionado em momentos importantes da vida dos indivíduos. A ausência das emoções nos tornaria como inexpressivos robôs androides, como se vê em muitas obras de ficção científica. E a vida perderia muito em colorido e sabor.

As emoções envolvem **respostas periféricas** que podem ser percebidas por um observador externo: aumento do estado de alerta, desassossego, dilatação da pupila, sudorese, lacrimejamento, alteração da expressão facial, entre outras manifestações. Além disso, há modificações corporais internas que são percebidas pelo sujeito, tais como o coração disparado, um "frio no estômago" ou um "nó na garganta". Essas respostas fisiológicas são acompanhadas por um **sentimento emocional**, ligado ao universo afetivo do organismo: euforia, desânimo, irritação, etc. Além disso, na maioria das vezes, podemos identificar a emoção que estamos sentindo: amor, medo, ódio, ciúme, decepção, etc. Admite-se que esta **consciência emocional** esteja presente apenas na nossa espécie, enquanto os outros animais, ou pelo menos os mamíferos, são capazes de experimentar os demais aspectos do fenômeno emocional, ou seja, as respostas periféricas e o sentimento emocional. Nesse sentido, as emoções dos animais são um pouco diferentes da emoção humana.

Todos esses acontecimentos, observáveis ou não, têm origem no cérebro, e cada um deles é processado em distintos circuitos e sistemas, como passaremos a examinar. Como vimos no Capítulo 1, os órgãos dos sentidos enviam as informações relevantes até o cérebro por meio de circuitos neuronais. Se um estímulo importante, com valor emocional, é captado, ele pode mobilizar a atenção e atingir as regiões corticais específicas, onde é percebido e identificado, tornando-se consciente. As informações são então direcionadas a uma região de substância cinzenta subcortical do lobo temporal, a **amígdala** cerebral (ou núcleo amigdaloide), cuja forma lembra uma amêndoa (amígdala = amêndoa, em latim) **(Fig. 6.1)**. A amígdala costuma ser incluída em um conjunto de estruturas encefálicas conhecido como sistema límbico, ao qual se atribui o controle das emoções e dos processos motivacionais.

Ela é um aglomerado de neurônios de organização complexa, que tem múltiplas conexões com outras áreas do sistema nervoso. Através dessas conexões a amígdala age como um centro coordenador, que dispara comandos que poderão provocar, por exemplo, o aumento da vigilância e as modificações viscerais (taquicardia, sudorese, dilatação da pupila), além de promover a secreção de hormônios da glândula suprarrenal, que têm papel importante nas emoções como o

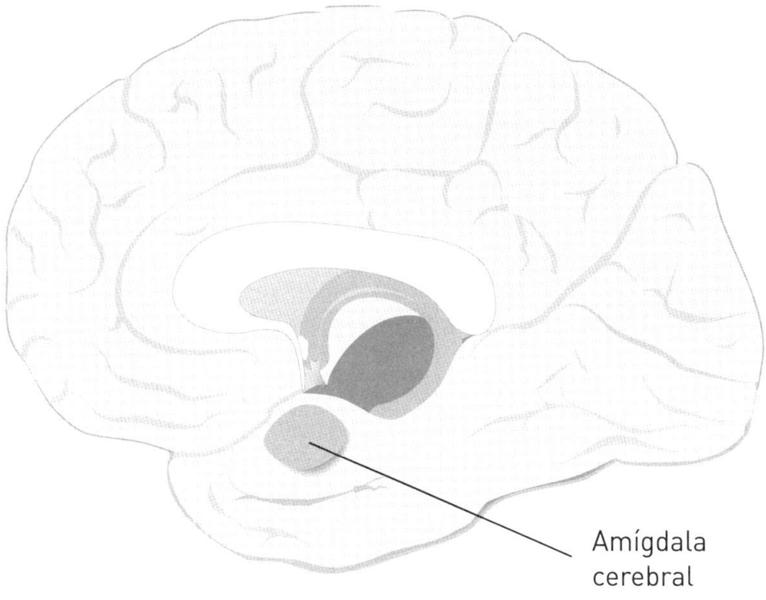

FIGURA 6.1
A figura mostra a localização da amígdala cerebral, que é um grupamento neuronal importante para a integração do processamento das emoções no cérebro.

medo ou a raiva[1]. A amígdala interage também com o córtex cerebral, permitindo que a identificação da emoção seja feita, e podendo ocasionar, além disso, o aparecimento e a persistência de um determinado estado de humor.

Imaginemos a situação em que a professora chega à sala de aula com uma pilha de provas e anuncia uma avaliação inesperada. Certamente a amígdala cerebral dos seus alunos entrará em ação, provocando o aparecimento das respostas e sentimentos acima mencionados.

A amígdala é importante ainda na aprendizagem das reações de medo e na identificação das expressões faciais a ele relacionadas. Pessoas ou animais em que a amígdala foi lesada geralmente não identificam os sinais de perigo emitidos pelos seus semelhantes e têm dificuldade de reagir adequadamente a situações ameaçadoras.

No nosso cotidiano, as informações sensoriais que nos chegam podem ser neutras ou vir acompanhadas de uma valência emocional, negativa ou positiva. Um cachorro pode ser apenas mais um dado no ambiente, mas pode provocar uma sensação agradável, se for nosso animal de estimação, ou ainda infundir medo e apreensão se for um animal que sabemos ser perigoso. Essa valência emocional é acrescentada quando a informação atinge as regiões, como a amígdala, encarregadas do processamento das emoções.

Um fato importante revelado pelas pesquisas é que um determinado estímulo, que tenha valor emocional, pode afetar o cérebro de duas maneiras distintas. A primeira, que é mais lenta, segue as vias sensoriais até o córtex cerebral, sendo a informação depois enviada à amígdala, como já descrevemos. Nesse caso, podemos dizer que o cérebro primeiro identifica o estímulo – "o que é?" – e depois o avalia – "qual a importância para mim?". Ao mesmo tempo, porém, existe uma segunda via nervosa que, após seguir inicialmente as mesmas vias sensoriais, segue direto à amígdala antes de chegar ao córtex cerebral. Nesse caso, as respostas emocionais periféricas são desencadeadas antes que o córtex cerebral tome conhecimento do estímulo **(Fig. 6.2)**.

Isso significa que um pequeno detalhe do ambiente é capaz de ser identificado como mobilizador, ainda que passe despercebido aos processos conscientes. O córtex cerebral, nesse caso, ao perceber as respostas corporais desencadeadas, pode se confundir e identificar erroneamente a origem da emoção ao fazer asso-

[1] As modificações do nosso meio interno, inclusive a secreção dos hormônios, são feitas por intermédio do **hipotálamo**, uma pequena região situada bilateralmente no centro do cérebro e que coordena as ações viscerais e das glândulas endócrinas.

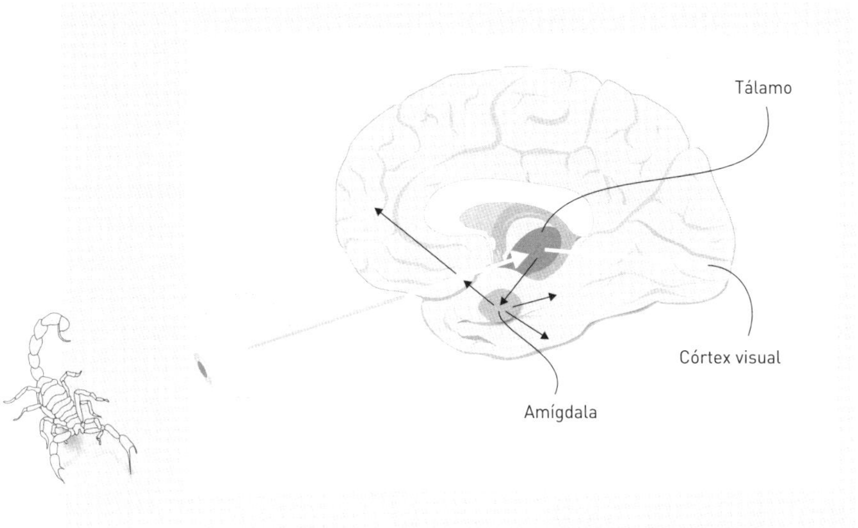

FIGURA 6.2
A figura mostra como um estímulo ameaçador pode ser informado diretamente ao córtex cerebral (setas brancas), ou pode ser levado por uma via alternativa, do tálamo até a amígdala. No segundo caso, podemos não ter consciência da origem das respostas emocionais desencadeadas a partir do comando exercido pela amígdala cerebral.

ciações com outros fatores ambientais imediatos que são percebidos conscientemente. Por exemplo, o professor pode ficar irritado devido ao fato de ter chegado atrasado na escola porque um pneu furou, mas achar que o motivo de sua irritação é o aluno indisciplinado presente na sala de aula.

Pode-se mesmo confundir a emoção que estamos sentindo, já que emoções distintas podem ter as mesmas respostas periféricas, como a taquicardia e a secreção lacrimal, por exemplo. Nosso coração se acelera quando estamos com raiva, mas também quando estamos alegres. Podemos chorar por alegria ou por tristeza. Por isso mesmo, é bom prestar atenção às nossas emoções, sabendo que o autoconhecimento emocional é, na verdade, uma habilidade que pode ser aprendida e aperfeiçoada.

A amígdala tem sido muito estudada no seu envolvimento com as emoções com valência negativa, como o medo e a raiva, mas parece também estar envolvida no desencadeamento das emoções positivas, como a sensação de bem-estar e prazer. Nesse caso, no entanto, outras estruturas cerebrais têm participação mais importante. Dentre elas se destacam as que participam de um circuito dopaminérgico (que utiliza a dopamina como neurotransmissor) que se origina em neurônios do mesencéfalo, uma região situada um pouco abaixo do cérebro. Esses neurônios se comunicam com muitas estruturas, mas têm como um dos seus alvos principais uma região da base do cérebro que tem o estranho nome de **núcleo acumbente**, cujos neurônios, por sua vez, se conectam ao córtex pré-frontal (**Fig. 6.3**). Estimulações dessa via provocam sensação de prazer e bem-estar. Em situações experimentais, nas quais os animais têm eletrodos implantados no núcleo acumbente de modo que podem se estimular nessa região pressionando uma alavanca, eles costumam fazer isso com uma alta frequência, preferindo mesmo essa estimulação a outras recompensas, como o alimento ou o sexo.

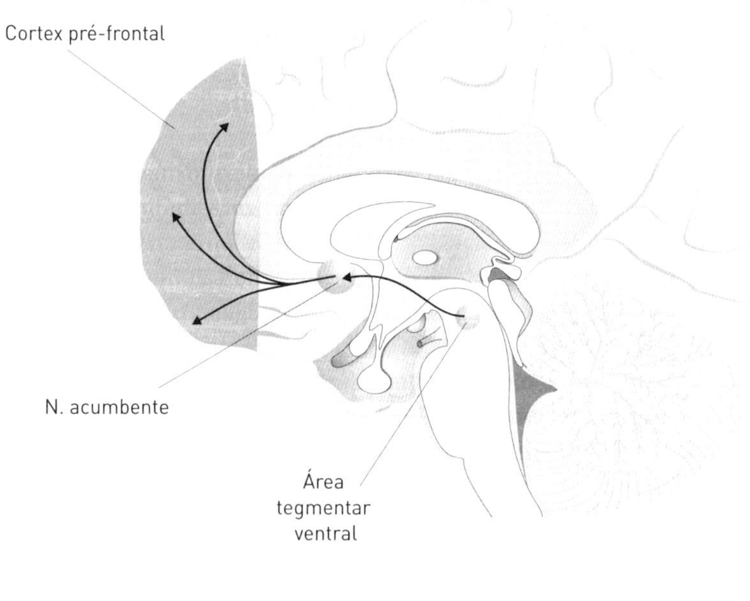

FIGURA 6.3
Visão esquemática do circuito dopaminérgico que tem origem no mesencéfalo e, passando pelo núcleo acumbente, chega até o córtex pré-frontal. Esse circuito é importante na regulação dos processos motivacionais. (Modificado de Cosenza, 2005)

Tudo indica que esse circuito desenvolveu-se como um mecanismo importante para o desencadeamento e a regulação de comportamentos que levam à saciação de necessidades, como a alimentação ou a reprodução. Portanto, trata-se de uma estrutura vital para a sobrevivência dos organismos e das espécies. Esse circuito está ligado ao fenômeno que chamamos de motivação.

A motivação parece ser resultante de uma atividade cerebral que processa as informações vindas do meio interno (fome, dor, desejo sexual) e do ambiente externo (oportunidades e ameaças) e determina o comportamento a ser exibido. A motivação não se refere a comportamentos reflexos ou localizados, mas envolve a aprendizagem e outros processos cognitivos que se encarregam da organização das ações que melhor garantam a sobrevivência. Geralmente, mais de uma alternativa comportamental está disponível, e o processamento deve ser capaz de fazer escolhas e priorizar o comportamento mais adequado para aquela situação.

A maioria dos comportamentos motivados, direcionados para um objetivo, é aprendida. A própria obtenção da comida e água, quando estamos famintos ou sedentos, obedece a esta regra. Mesmo o recém-nascido irá selecionar alguns comportamentos que foram bem-sucedidos para esse fim e tenderá a repeti-los no futuro. Nossas motivações nos levam a repetir as ações que foram capazes de obter recompensa no passado ou a procurar situações similares, que tenham chance de proporcionar uma satisfação desejada no futuro. Portanto, ela é muito importante para a aprendizagem em geral. A liberação de dopamina em algumas regiões cerebrais parece estar associada a esse tipo de recompensa, que leva à aprendizagem.

É interessante notar que a maior parte das drogas que causam dependência ou abuso, como a cocaína, por exemplo, atuam estimulando as sinapses desses circuitos dopaminérgicos, o que provoca um prazer espúrio, que toma de empréstimo as sensações desenvolvidas durante a evolução para promover a manutenção da vida. A droga ativa o sistema de recompensa e leva o indivíduo a repetir o comportamento que desencadeou aquela sensação, ainda que ele não tenha qualquer ligação com as necessidades vitais do organismo. Os adolescentes, cujo cérebro está passando por grandes transformações, costumam ser particularmente vulneráveis à ação das drogas.

As emoções, portanto, são importantes para os seres humanos da mesma forma que para os outros animais. Contudo, diferentemente deles, somos capazes de tomar consciência desses fenômenos, podendo identificá-los e rotulá-los. Além disso, somos capazes de aprender a controlar algumas de nossas reações emocionais de acordo com as conveniências sociais. De fato, as emoções não são, por si mesmas, boas ou más como muitas vezes nos querem fazer acreditar, mas a forma como lidamos com elas pode fazer diferença em nossas relações sociais.

Ao longo do processo educacional, aprendemos a controlar a expressão de nossas emoções de forma aceitável socialmente, como quando orientamos uma criança a não bater no colega que tomou o seu brinquedo, mas sim conversar com ele, como forma de resolver a situação. Também aprendemos a pesar as consequências dos comportamentos sugeridos por nosso sentimento emocional quando prevenimos o adolescente de que flertar com a namorada do colega mais forte pode ter um efeito desagradável para o seu bem-estar.

Aqui, entra em cena a importância da interação entre os processos cognitivos e emocionais no cérebro, para a qual tem papel primordial uma região do córtex pré-frontal situada logo acima das órbitas e por isso mesmo denominada **área orbitofrontal** (Fig. 6.4). Ela atua analisando e integrando os avisos emocionais provenientes da amígdala ou outras informações vindas, por exemplo, das vísceras, assim como os dados enviados por outras regiões corticais relacionados com experiências anteriores registradas na memória. Tudo isso gera um contexto que vai determinar que comportamentos podem ser desencadeados ou devem ser inibi-

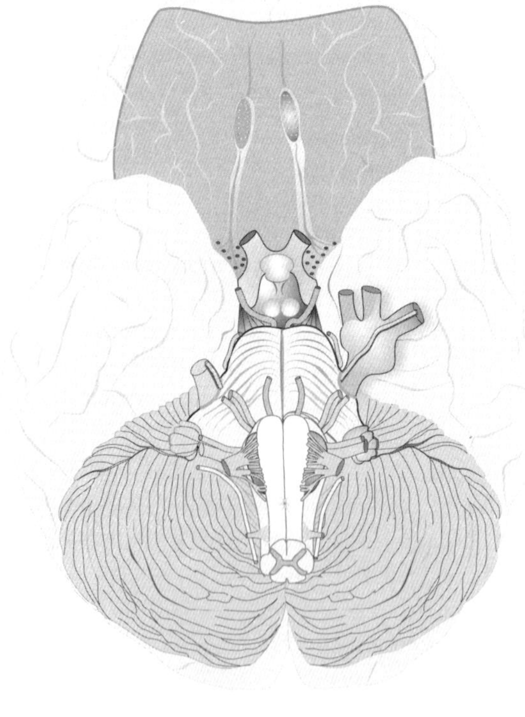

FIGURA 6.4
A área mais escura delimita a porção do córtex pré-frontal denominada região orbital ou orbitofrontal, que se localiza na face inferior do cérebro.

dos. Podemos inibir uma reação de raiva frente a um superior hierárquico ou ceder um copo de água, ainda que sedentos, para alguém por quem temos consideração.

Indivíduos com lesões pré-frontais orbitais, embora inteligentes e normais em outros aspectos do comportamento, podem agir de forma inadequada, com reações exageradas, insuficientes ou totalmente impróprias ao contexto social. Eles são incapazes de levar em conta as consequências dos próprios atos no futuro e não conseguem avaliar o sentimento emocional ou o sofrimento que suas ações podem causar em outros. Geralmente prejudicam a si próprios e podem mesmo se tornar socialmente perigosos. São um exemplo eloquente de como a emoção influencia nossos processos cotidianos de tomada de decisão.

Um fato importante a ser considerado é que o córtex pré-frontal é lento no seu desenvolvimento e até a adolescência não está maduro, inclusive na sua capacidade de inibir impulsos. Por outro lado, durante a adolescência, alterações nesses circuitos motivacionais costumam aumentar o comportamento que busca novidades, pois é importante experimentar o que oferece o mundo adulto, o que possibilitará a aprendizagem de tomadas de decisões mais apropriadas. Contudo, um aumento da disposição para novas experiências acoplado a uma capacidade inibidora ainda imatura pode predispor ao aparecimento de ações impulsivas e comportamentos de risco, inclusive a experimentação com as drogas.

Sem dúvida, as emoções são um fenômeno central de nossa existência e sabemos que elas têm grande influência na aprendizagem e na memória. Têm sido muito estudadas as chamadas memórias de *flashbulb*, que poderíamos traduzir como memórias instantâneas. São as lembranças relacionadas a um fato marcante na vida das pessoas. Nos Estados Unidos tem sido usado para estudo, por exemplo, o episódio do ataque às torres gêmeas de Nova York. Geralmente as pessoas se recordam com muita nitidez do que estavam fazendo nesses momentos e tendem a guardar essas lembranças por mais tempo (ainda que elas também sofram o processo de desgaste e reconstrução, como relatado no Capítulo 5). Elas são mais uma evidência de que as emoções servem também para facilitar o processo de memorização. Podemos imaginar que uma zebra que tenha escapado do ataque de um leão terá vantagens em se recordar da estratégia utilizada para escapar, já que ela foi eficiente para mantê-la viva.

Sabemos que nos momentos em que experimentamos uma carga emocional ficamos mais vigilantes e que nossa atenção está voltada para os detalhes considerados importantes, pois as emoções controlam os processos motivacionais. Além disso, sabe-se que a amígdala interage com o hipocampo e pode mesmo influenciar o processo de consolidação da memória. Portanto, uma pequena excitação pode ajudar no estabelecimento e conservação de uma lembrança.

Contudo, é preciso lembrar que, por outro lado, as emoções podem ser prejudiciais, pois a ansiedade e o estresse prolongados têm um efeito contrário na aprendizagem. A própria atenção pode ser prejudicada por eles, sendo que, em situações estressantes, os hormônios glicocorticoides secretados pela suprarrenal atuam nos neurônios do hipocampo, chegando a destruí-los.

Por tudo isso, as emoções precisam ser consideradas nos processos educacionais. Logo, é importante que o ambiente escolar seja planejado de forma a mobilizar as emoções positivas (entusiasmo, curiosidade, envolvimento, desafio), enquanto as negativas (ansiedade, apatia, medo, frustração) devem ser evitadas para que não perturbem a aprendizagem.

O conhecimento fornecido pelas neurociências pode então indicar algumas direções, ainda que não exista uma receita única a ser seguida: o ambiente escolar deve ser estimulante, de forma que as pessoas se sintam reconhecidas, ao mesmo tempo em que as ameaças precisam ser identificadas e reduzidas ao mínimo. Usando o andamento dos tempos musicais como metáfora, podemos dizer que o ideal é que o ambiente na escola seja *allegro moderato*, ou seja, estimulante e alegre, mas que permita o relaxamento e minimize a ansiedade.

Considerando a tendência gregária dos adolescentes, é bom estimular a confiança no grupo e estimular os trabalhos em colaboração. Na sala de aula, são importantes os momentos de descontração, e para isso pode-se fazer uso do humor, das artes e da música nos momentos adequados.

O estresse deve ser identificado e evitado. As situações que mais frequentemente causam estresse são aquelas em que o indivíduo se julga desamparado, quando encontra dificuldades que não consegue superar ou julga que são incontornáveis. Ameaças ou chacotas vindas de colegas ou do próprio professor, excessos na disciplina ou no processo de avaliação, bem como dificuldades acadêmicas mal resolvidas podem ser fonte de estresse.

É bom estar atento não só às emoções dos alunos, mas também às próprias emoções. A linguagem emocional é corporal antes de ser verbal, e muitas vezes a postura, as atitudes e o comportamento do educador assumem uma importância da qual não nos damos conta. Por causa desses fatores, o que é transmitido pode ser bem diferente do que se pretendia ensinar.

Outra inferência importante tem relação com o fato de que as emoções, como vimos, podem ter origem inconsciente e serem atribuídas a outras fontes ou outro contexto. Assim, a origem das reações emocionais na escola pode estar relacionada com problemas externos, originados, por exemplo, no contexto familiar ou social.

Já vimos que é preciso e é possível aprender a lidar de forma adequada com nossas emoções. Elas são inevitáveis, mas podemos ter controle da maneira como reagimos a elas. Essa capacidade tem sido chamada, por alguns autores, de "inteligência emocional" e está ligada ao conceito de funções executivas, que estudaremos no Capítulo 7. A adequada expressão das emoções deve ser respeitada e desenvolvida, o que contribui, certamente, para o aumento da aprendizagem, a diminuição dos problemas de disciplina e para a preparação de indivíduos mais capazes de viver a vida em sociedade e de atingir a plenitude de realização pessoal.

RESUMO

1 As emoções assinalam a presença de um evento importante na vida dos animais. Elas têm valor de sobrevivência para o indivíduo e a espécie.

2 As emoções envolvem respostas fisiológicas periféricas, um sentimento afetivo e ainda uma consciência emocional que nos permite identificá-las.

3 A amígdala é um centro nervoso regulador dos processos emocionais. As emoções positivas envolvem também um circuito dopaminérgico que vai do mesencéfalo ao cérebro. Esse circuito está envolvido no fenômeno da motivação, que é importante para a aprendizagem.

4 Um estímulo emocional pode atingir o córtex cerebral antes das informações sensoriais conscientes. Nesse caso, podemos identificar erroneamente a emoção que sentimos ou sua causa.

5 As emoções são inevitáveis, mas podemos aprender a controlar as respostas que tendem a desencadear, bem como aperfeiçoar o autoconhecimento emocional.

6 O córtex orbitofrontal é importante no controle social das respostas emocionais e cuida da associação do processamento emocional com o processamento cognitivo ou racional no cérebro.

7 As emoções podem facilitar a aprendizagem, mas o estresse tem efeito contrário.

8 O ambiente escolar deve ser planejado para facilitar as emoções positivas e evitar as emoções negativas.

9 É aconselhável criar condições que levem a um maior autoconhecimento emocional e orientem para uma adequada manifestação das respostas emocionais nas interações sociais.

7

A ÁRVORE DO BEM E DO MAL

Neste capítulo, veremos as funções executivas que são responsáveis pela regulação cotidiana do comportamento e que têm importância fundamental nas atividades educacionais.

AS FUNÇÕES EXECUTIVAS E SUA IMPORTÂNCIA

Embora não exista um consenso sobre a conceituação das funções executivas, podemos defini-las como o conjunto de habilidades e capacidades que nos permitem executar as ações necessárias para atingir um objetivo. Nelas se incluem a identificação de metas, o planejamento de comportamentos e a sua execução, além do monitoramento do próprio desempenho, até que o objetivo seja consumado. Elas devem assegurar, além disso, que as normas sociais sejam respeitadas, em um padrão comportamental considerado apropriado para um determinado contexto ou situação.

As funções executivas possibilitam nossa interação com o mundo frente às mais diversas situações que encontramos. Por meio delas organizamos nosso pensamento, levando em conta as experiências e conhecimentos armazenados em nossa memória, assim como nossas expectativas em relação ao futuro, sempre respeitando os valores e propósitos individuais. Dessa forma podemos estabelecer estratégias comportamentais e dirigir nossas ações de uma forma objetiva, mas flexível, que permita, ao final, chegar ao objetivo desejado. Além disso, são as funções executivas que suportam uma supervisão de todo o processo, evitando erros e limitando nossas ações dentro dos padrões éticos do grupo cultural a que pertencemos. Por tudo disso, elas são essenciais para garantir o sucesso na escola, no trabalho e na vida cotidiana.

Imaginemos um exemplo do dia a dia, em que essas funções são mobilizadas e suportam a execução de um comportamento complexo: uma mulher que trabalha fora de casa e tem filhos em idade escolar planeja oferecer um jantar a um casal de amigos. Ela decide, então, que sairá do local de trabalho mais cedo, passará no banco para retirar o dinheiro para os gastos previstos, irá ao supermercado fazer as compras necessárias, em seguida buscará os filhos na escola e então irá para casa, onde começará a preparar a refeição. Temos aqui uma estratégia comportamental global, com subtarefas que devem ser distribuídas no tempo de uma forma ordenada e mantidas na memória operacional até que o objetivo final seja atingido.

Suponha que ela fique retida um pouco mais no local de trabalho e, ao sair, encontre um tráfego intenso. Isso, provavelmente, vai exigir uma flexibilização de suas ações. Talvez deixar de ir ao banco e utilizar o cartão de crédito. Talvez abreviar a ida ao supermercado para não perder a hora da saída na escola ou inverter a ordem dessas ações. Mudar a rota, para evitar o trânsito, pode ser uma alternativa. Ultrapassar alguns semáforos com sinal vermelho ou trafegar em cima do passeio são comportamentos que poderiam abreviar o tempo do percurso, mas são inadequados e devem ser inibidos.

Imaginemos que, no supermercado, um ingrediente inadequado para o cardápio planejado seja colocado no carrinho de compras. Se ela estiver monitorando adequadamente suas ações, vai detectar o erro e providenciar a sua correção. Todos esses processos mentais deverão estar atuando até que o projeto seja cumprido; no caso, o jantar servido.

As funções executivas estão presentes no nosso cotidiano, em decisões e tarefas corriqueiras, e também nos planejamentos de longo prazo, como decidir a carreira pessoal, a viagem das férias do próximo ano ou o que fazer depois da aposentadoria. As pessoas normalmente são capazes de projetar, executar e monitorar seu comportamento até atingir um objetivo que tenham em mente, seja ele de curto ou de longo prazo.

Muitas evidências relacionam a execução das funções executivas à porção mais anterior do córtex frontal, a **região pré-frontal**, já referida em capítulos anteriores **(Fig. 4.3)**. Essa região expandiu-se progressivamente ao longo da evolução animal, e na espécie humana está muito desenvolvida em relação ao que encontramos no cérebro de outros mamíferos **(Fig. 7.1)**. Além de ser uma região recente do ponto de vista da evolução, ela demora a amadurecer durante o desenvolvimento da criança e continua a modificar-se pelo menos até o final da adolescên-

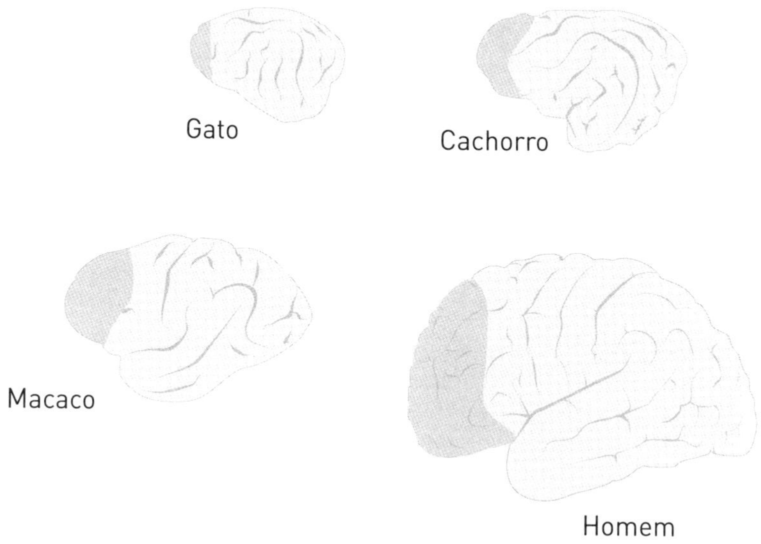

FIGURA 7.1
Há um aumento progressivo da região ocupada pelo córtex pré-frontal em diferentes mamíferos. Na espécie humana, ele chega a representar cerca de um quarto da superfície do cérebro. Os cérebros dos diferentes animais não foram desenhados em escala proporcional.

cia. Portanto, as funções executivas não estão presentes em sua plenitude até o início da idade adulta.

Indivíduos com lesões pré-frontais podem apresentar uma série de problemas que caracterizam as chamadas "disfunções executivas". Alguns, embora apresentem um nível de inteligência inalterado, podem se tornar apáticos e serem incapazes de tomar decisões necessárias no dia a dia. Ou as tomam de uma forma desastrada, que não leva em conta prioridades, consequências ou os riscos envolvidos, além de não conseguirem perceber e avaliar os próprios erros. Outros podem ser impulsivos, incapazes de inibir comportamentos inadequados ou de flexibilizar sua conduta, mesmo constatando que suas ações não levam ao objetivo determinado. Podem ter uma tendência a perseverar, ou insistir em ações já em andamento, mesmo que elas se mostrem ineficientes, ou podem deixar de avaliar as consequências de suas ações no futuro e comportar-se de forma inadequada e antissocial.

Durante muito tempo essa grande quantidade de alterações comportamentais aparentemente desconexas confundiu os estudiosos, até que o avanço das pesquisas e as novas técnicas disponíveis, como as neuroimagens funcionais, vieram permitir uma melhor compreensão das funções pré-frontais. Hoje, admite-se que existem pelo menos três circuitos neuronais distintos em diferentes regiões do córtex pré-frontal, que coordenam capacidades cognitivas diferentes (**Fig. 7.2**).

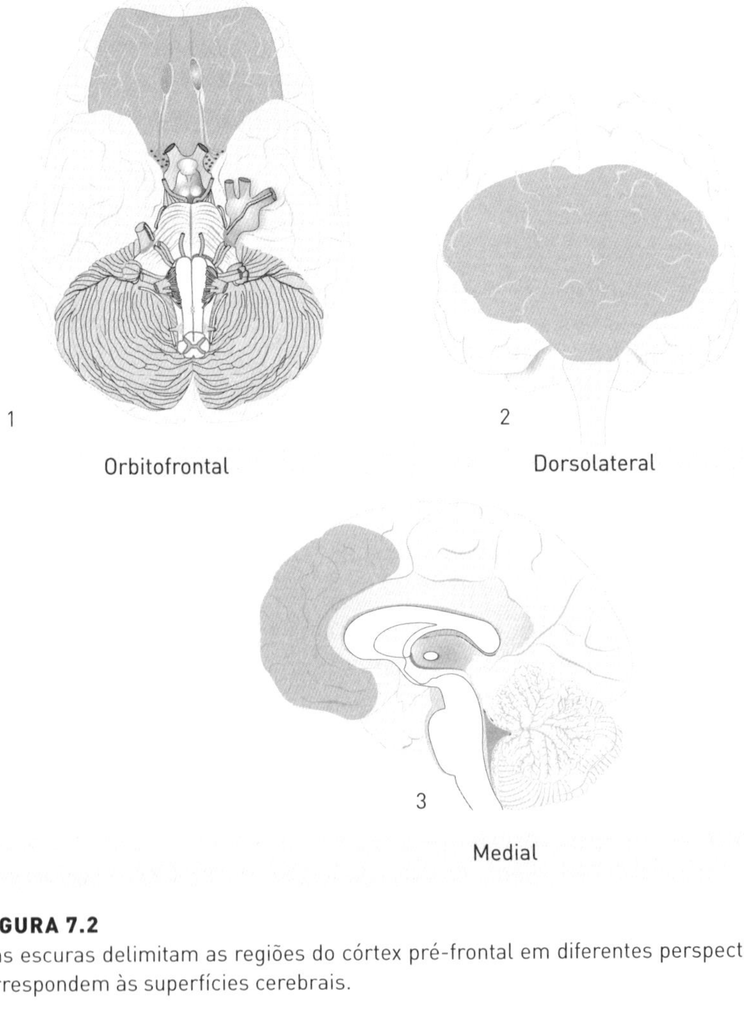

FIGURA 7.2
As áreas escuras delimitam as regiões do córtex pré-frontal em diferentes perspectivas, que correspondem às superfícies cerebrais.

A primeira região, chamada dorsolateral por sua localização na parte externa do cérebro, está relacionada com o planejamento do comportamento e a flexibilização das ações em andamento, além de estar envolvida no funcionamento da memória de trabalho, como já estudamos no Capítulo 4. A segunda situa-se na superfície medial do cérebro e inclui a porção mais anterior do chamado giro do cíngulo[1]. Ela parece se encarregar das atividades de automonitoramento e da correção de erros e está envolvida também com o fenômeno da atenção, como vimos no Capítulo 3. Finalmente, a terceira região situa-se na porção inferior do cérebro e é conhecida como área orbitofrontal, porque está situada logo acima da órbita. Ela se encarrega da avaliação dos riscos envolvidos em determinadas ações e pode inibir respostas inapropriadas. Vale lembrar que também já nos referimos à área orbitofrontal quando estudamos as emoções no Capítulo 6.

Portanto, a região pré-frontal não é homogênea e tem uma grande quantidade de conexões com outras regiões corticais e subcorticais, por meio de circuitos que podem ser independentes, mas que funcionam de forma interativa[2]. O córtex pré-frontal tem uma função de coordenação, e para isso necessita receber informações de outras áreas cerebrais e repassá-las, por sua vez, a muitas outras regiões. Para que um comportamento dirigido a um objetivo seja eficiente, essa região precisa integrar e distribuir temporalmente diferentes capacidades de percepção, ação e cognição.

Naturalmente, no ambiente escolar as funções executivas são primordiais para que o estudante possa ter sucesso em todas as etapas de sua educação. Contudo, é preciso levar em conta que elas se desenvolvem gradualmente ao longo da infância e da adolescência. Alguns autores sugerem mesmo que é por meio do amadurecimento progressivo das funções executivas que se caracterizam muitos estágios identificados no desenvolvimento infantil.

A título de exemplo, os bebês estão limitados aos estímulos imediatos e apenas reagem a eles. Durante o primeiro ano vão aperfeiçoando sua capacidade atencional e já ignoram estímulos irrelevantes. Aos 3 anos, têm noção do passado e do futuro e já existe a capacidade de planejamento e de flexibilização de estratégias, o que estará bem aperfeiçoado em torno dos 7 anos de vida.

[1] O giro do cíngulo tem características estruturais diferentes das regiões corticais pré-frontais e tem também uma origem mais antiga na evolução. Contudo, sua porção anterior parece integrar-se funcionalmente com as demais regiões do córtex pré-frontal.

[2] A região pré-frontal, como mencionado no Capítulo 1, é uma área terciária do córtex cerebral, ocupando o topo da hierarquia funcional da unidade executora cortical.

O processo de aprimoramento das funções executivas é contínuo, embora diferenciado para seus múltiplos aspectos e parece haver correspondência com surtos de desenvolvimento do córtex pré-frontal, que ocorrem, por exemplo, entre o nascimento e os 2 anos, dos 7 aos 9 anos e já no final da adolescência, entre os 16 e os 19 anos.

O córtex pré-frontal, como já foi dito, é lento em sua maturação, e continua a se modificar significativamente até a adolescência por meio de processos como a ramificação de dendritos e a formação e a eliminação de sinapses. Além disso, há modificações significativas em suas conexões com outras regiões, sendo notáveis as alterações progressivas na mielinização dos axônios que constituem os feixes de comunicação entre o córtex pré-frontal e as demais áreas com as quais ele se conecta.

As funções executivas atuam como uma interface entre os indivíduos e o ambiente com o qual interagem. Por isso mesmo, os fatores ambientais são importantes no desenvolvimento dessas funções, pois influenciam intensamente as modificações que no sistema nervoso estarão ocorrendo por causa dessa interação. Na espécie humana, um ambiente social bem estruturado é requisito fundamental para propiciar o desenvolvimento daquelas funções. Como as histórias individuais são diferentes, também o desenvolvimento das funções executivas terá trajetórias desiguais para cada pessoa, e as habilidades adquiridas serão provavelmente distintas.

Howard Gardner, o criador da teoria das inteligências múltiplas (ver Capítulo 10), sugere que as funções executivas emergem de uma das inteligências propostas por ele, a inteligência intrapessoal, e são importantes na coordenação das demais inteligências, regulando o comportamento em direção aos objetivos relevantes para o indivíduo. Segundo ele, a inteligência intrapessoal desenvolve-se gradualmente ao longo da vida dos indivíduos e tem grande importância para que as pessoas adquiram as estratégias necessárias para viver harmoniosamente em sociedade.

Gardner sugere que três parâmetros são importantes quando se observa o desenvolvimento das funções executivas na perspectiva da inteligência intrapessoal: as metas, as habilidades e a vontade. Sugere ainda que, nesse desenvolvimento, poderíamos identificar dois estágios: o do aprendiz e o do mestre.

Durante o estágio de aprendiz, o desenvolvimento das habilidades predomina em relação aos outros dois parâmetros, as metas e a vontade. A criança precisa dominar o conhecimento e os procedimentos que o seu grupo cultural determina. Além disso, é preciso aprender os valores e as normas do grupo social em que vive. Por meio da socialização realizada pelos pais e pela escola, a inteligência intrapessoal é desenvolvida para que possa decifrar emoções, expressar e inibir sentimentos e ações, além de compreender as perspectivas dos outros. A criança deve aprender a se localizar socialmente e a fazer projeções dos seus atos no futuro, de modo que possa guiar o planejamento de suas ações. Nesse estágio, as metas, que estão geralmente ligadas à aquisição de habilidades, são sugeridas por autoridades, como os pais ou professores, e vão se alongando no tempo, passando de mais imediatas para outras de médio prazo. Elas são gradativamente internalizadas pelo aprendiz por meio da imitação de modelos, instruções, recompensas e punições. Em relação à vontade, ela se confundiria com o conceito de motivação. Aprendizes motivados são desejáveis, mas os voluntariosos podem se tornar um problema, uma vez que se considera que a vontade deve ser dirigida para atingir as metas valorizadas pela cultura e se deseja que o aprendiz se submeta ao controle ideológico e cognitivo da cultura em que vive. O estágio de aprendiz se inicia com o processo de socialização nos primeiros anos de vida e se prolonga até o início da idade adulta (da educação infantil ao primeiro emprego). As funções executivas são direcionadas para que o indivíduo se comporte de acordo com as expectativas sociais e, ao final desse estágio, algumas habilidades devem ter sido aprendidas de forma a serem realizadas de forma automática. Nessa época, as metas mais imediatas podem ainda depender de autoridades e patrões, mas existe a capacidade de estabelecê-las por conta própria, com a mobilização da vontade intrínseca que leve à sua satisfação.

Gardner chama a atenção para o fato de que muitas pessoas podem interromper seu desenvolvimento nesse estágio. Tendo cumprido as expectativas do grupo social, mantêm-se em atividades que são predominantemente reguladas exteriormente e sentem-se confortáveis dentro dessa estrutura social.

No estágio do mestre, contudo, o indivíduo desenvolveu sua inteligência intrapessoal em direção a um autoconhecimento mais profundo. Sabe integrar suas metas, habilidades e vontade para a construção de uma agenda pessoal que extrapola o programa da sociedade em que vive. Ou seja, essas pessoas têm iniciativa própria e se propõem a ter objetivos de longo prazo, dentro de um estilo individual, que vai além do esperado pela família, pelas exigências do trabalho ou de outras atribuições. Sua inteligência intrapessoal usa de maturidade, sabedoria e criatividade no processo de autoexpressão. Elas são conscientes e tolerantes com o processo de transformação pessoal e, portanto, capazes de um crescimento contínuo. O estágio do mestre é regulado menos pela idade do que pelas experiências pessoais, principalmente aquelas inesperadas, que podem envolver surpresa, frustração ou mesmo trauma. Nessas ocasiões a vontade e as habilidades são mobilizadas de forma a superar obstáculos e atingir novos objetivos.

Dentro dessa perspectiva, vê-se que, tradicionalmente, à escola delegou-se a tarefa de desenvolver habilidades, sem grande preocupação no desenvolvimento das funções executivas de uma forma mais ampla. As atividades escolares são focadas mais na memorização e na repetição, e acredita-se que o estudante comum desenvolverá por conta própria a capacidade de planejar o seu tempo, priorizando informações (separar as ideias básicas dos detalhes ou do irrelevante), monitorando o seu progresso e refletindo sobre o seu trabalho. Mas, principalmente nas condições do mundo moderno, sabemos que isso frequentemente não acontece. Crianças e adolescentes, na maioria das escolas, e mesmo no ambiente familiar, não são expostos a estratégias que privilegiem o desenvolvimento de funções executivas. Por isso, torna-se necessário o ensino de estratégias que os municiem para uma real aprendizagem. Fala-se muito na importância do "aprender a aprender", mas em todo o trajeto escolar até a universidade pouco se faz de forma efetiva para esse aprendizado.

O verdadeiro educador deve ter como objetivo ajudar o aprendiz a atingir o estágio de mestre, criando as condições para que ele se desenvolva em termos de planejamento, desempenho, compreensão e expressão. Para que ele desenvolva sua capacidade de autorregulação e saiba reconhecer limites, mas que também saiba identificar oportunidades, avaliar riscos e refletir sobre os próprios erros. Se tudo é compulsório, não se aprende a lidar com a incerteza e adquirir um comportamento flexível. Se não há desafios e o ambiente é muito confortável, não há estímulo para mudar para melhor. Se não há tolerância aos erros, não se aprende a desenvolver respostas alternativas e inibir indesejáveis.

Está claro que é importante impulsionar o desenvolvimento das funções executivas, utilizando o ensino de estratégias que favoreçam esse desenvolvimento. Elas devem estar voltadas para que os estudantes aprendam a planejar suas atividades, decompondo-as em subtarefas que possam ser desenvolvidas, sendo capazes de estabelecer metas dentro de uma perspectiva temporal. Pretende-se que eles saibam não só buscar a informação utilizando os recursos existentes, mas que saibam, também, identificar as questões relevantes. Que possam organizar criticamente a informação, fazendo avaliações e generalizações, além de organizar e incorporar novos conceitos dentro do que já é conhecido. Deseja-se que desenvolvam a capacidade de serem flexíveis, lidando de forma construtiva com as ambiguidades. E que possam debater e discutir ideias, examinando as abordagens alternativas e daí tirando conclusões. Devem ser capazes de identificar erros, a discrepância e a ausência de lógica, estando aptos a identificar e corrigir os próprios lapsos nas diversas matérias acadêmicas.

Vê-se que não é uma tarefa fácil, e atualmente existem muitas pesquisas em andamento visando identificar as melhores práticas para o desenvolvimento dessas estratégias no ambiente escolar. Não existe consenso de quais são essas práticas, mas já se sabe que a melhor maneira de ensiná-las é incorporando-as ao currículo, e não ensiná-los de forma isolada. Contudo, isso deve ser feito de forma estruturada e sistemática, explicando-se como, quando, onde e por que utilizá-las. O estudante deve ter a oportunidade de compreender, através da prática, que elas efetivamente podem ajudá-lo não só no ambiente escolar, mas na sua vida em geral, tornando-os aprendizes independentes, com um pensamento flexível que os habilita a um crescimento constante.

Na verdade, a questão do desenvolvimento das funções executivas no mundo de hoje é um problema que vai além do seu treinamento no ambiente escolar. É preciso lembrar que o cérebro humano desenvolveu-se ao longo da evolução em um ambiente radicalmente diferente do encontrado no mundo moderno. Durante milhares de anos, as comunidades humanas eram pequenas e as crianças cresciam em um contato muito próximo com os pais, parentes e vizinhos. Os pais principalmente, mas também os demais membros do grupo atuavam como provedores externos das funções executivas enquanto essas se desenvolviam nas crianças. Eles estabeleciam as metas, verificando sua implementação. Podiam supervisionar o comportamento e ajudar na resolução de problemas e na correção de erros ou desvios. O grupo social era capaz de acompanhar de perto o desenvolvimento das crianças, até que fossem capazes de tomar decisões e desempenhar suas funções no mundo real.

As crianças e os adolescentes, por sua vez, observavam os pais e demais membros da comunidade e tinham a oportunidade de aprender as estratégias cotidianas, ao mesmo tempo em que internalizavam as normas do seu grupo cultural, que eram respeitadas a partir da constatação de que eram, de fato, "valores" para a sobrevivência individual e do grupo. A capacidade de pensar, resolver problemas e autorregular-se de acordo com as regras e necessidades daquela sociedade aconteciam de forma progressiva e natural.

Nos dias que correm, os adultos não estão mais tão próximos. Os pais costumam trabalhar fora e o tempo de convivência reduziu-se drasticamente. Boa parte do tempo, crianças e adolescentes passam na frente da televisão, cujo conteúdo raramente é discutido de forma crítica com a ajuda de um adulto amadurecido. Nas famílias de classe média há ainda computadores, vídeo-games, celulares e outros aparelhos, disponíveis todo o tempo e que consomem outra porção do tempo fora da escola, inclusive o período das refeições.

Claro que toda essa parafernália eletrônica proporciona um universo de informações nunca antes disponibilizado. O problema é que não se pede um raciocínio crítico em relação a toda essa informação que recebem. As conclusões a que chegam não são questionadas em termos dos valores sociais, nem os comportamentos que adotam são debatidos em relação às suas consequências de médio ou longo prazo. A maior parte dos fatos é absorvida sem uma discussão que promova sua incorporação a um conjunto de conhecimentos que tenha utilidade em sua vida real.

Já vimos que o estabelecimento de circuitos e até a mielinização de feixes nervosos dependem das interações com o meio ambiente. Portanto, a estruturação do ambiente é fundamental para o desenvolvimento das funções executivas. Daí ser importante considerar o impacto do mundo moderno nesse desenvolvimento. A grande quantidade de informação disponível pode ser um fator positivo para o enriquecimento dos circuitos das funções executivas, mas pode estar provocando alterações indesejáveis quando as crianças se encontram em ambientes que não têm a estrutura necessária para moldar seus comportamentos.

Se os adultos não estão disponíveis, a escola não está preparada e os meios de comunicação não se preocupam em prover o desenvolvimento das capacidades executivas importantes para a vida em sociedade, o cenário é preocupante em relação à formação daqueles que serão os adultos do século XXI. Há necessidade de atuar de modo ativo no desenvolvimento das capacidades de raciocinar, interagir, planejar e autorregular-se, valorizando e respeitando a existência e as necessidades dos outros. Isso precisa ser feito pelos pais, pela escola e pelo ambiente social mais amplo.

A Bíblia informa que Deus colocou no Paraíso a "Árvore do Bem e do Mal", cujo fruto proibido a humanidade provou, sendo por isso expulsa do Paraíso. Essa árvore pode ser uma metáfora da aquisição, pela espécie humana, de uma série de funções que a distinguem dos outros animais. A capacidade de planejar no longo prazo, de medir a consequência dos próprios atos, de inibir os comportamentos inadequados são a essência do que chamamos de funções executivas. A imagem pode ir mais longe se nos lembramos que, tal como uma árvore, essas funções têm que ser desenvolvidas e mantidas com cuidado constante **(Fig. 7.3)**.

Nossa civilização, que tem posto em risco o futuro de nossa espécie poluindo a Terra e exaurindo os seus recursos naturais, comete mais um equívoco ao descuidar do desenvolvimento das funções executivas, o que pode comprometer o bem-estar e, talvez, a sobrevivência das futuras gerações.

FIGURA 7.3
As funções executivas, tal como o próprio cérebro, devem ser cuidadas e aprimoradas ao longo da vida.

RESUMO

1 As funções executivas podem ser conceituadas como o conjunto de habilidades e capacidades que permitem executar as ações necessárias para atingir um objetivo. Elas incluem o estabelecimento de metas, a elaboração de uma estratégia comportamental, o monitoramento das ações adequadas e o respeito às normas sociais.

2 As funções executivas são coordenadas pelo córtex pré-frontal. A região dorsolateral é responsável pelo planejamento e a flexibilização do comportamento; a região medial pelas atividades de automonitoramento e da correção de erros; a região orbitofrontal se encarrega da avaliação dos riscos envolvidos em determinadas ações e da inibição de respostas inapropriadas.

3 O córtex pré-frontal tem um amadurecimento lento, que se prolonga até a adolescência. Paralelamente, existe um processo de desenvolvimento das funções executivas, cujo amadurecimento progressivo caracteriza muitos estágios identificados no desenvolvimento infantil.

4 É importante impulsionar o desenvolvimento das funções executivas por meio do ensino de estratégias que o favoreçam. Elas devem estar voltadas para que os estudantes aprendam a planejar suas atividades, sendo capazes de estabelecer metas dentro de uma perspectiva temporal. Pretende-se que eles saibam não só buscar a informação utilizando os recursos existentes, mas que saibam, também, identificar as questões relevantes, fazendo inferências e generalizações. Devem ser capazes de identificar erros, a discrepância e a ausência de lógica, estando aptos a identificar e corrigir os próprios lapsos nas diversas matérias acadêmicas.

5 O mundo moderno é muito diferente daquele em que nosso cérebro evoluiu. Hoje, nem sempre há um ambiente estruturado de forma adequada para o desenvolvimento das funções executivas. Esse é um problema que deveria ser levado em conta se quisermos realmente educar nossos jovens para uma vida útil e feliz.

8

DA ARGILA AO CRISTAL LÍQUIDO

Neste capítulo, veremos como o cérebro está organizado para possibilitar a capacidade de leitura e como sua desorganização pode desencadear a dislexia do desenvolvimento.

OS PROCESSOS NEUROBIOLÓGICOS DA LEITURA

A linguagem escrita surgiu há mais de 5 mil anos na Suméria, um antigo país da Mesopotâmia e, de forma independente, na China. A escrita suméria era gravada em placas de argila feita com caracteres cuneiformes que eram ideográficos, ou seja, representavam diretamente objetos ou ideias. O aparecimento de um sistema fonográfico, capaz de representar os sons da linguagem por meio dos sinais gráficos, permitiu a simplificação da escrita de uma forma notável, mas só aconteceu bem mais tarde. O alfabeto de origem latina é derivado do alfabeto grego, que por sua vez teve suas raízes no sistema de escrita desenvolvido pelos fenícios há cerca de 3 mil anos.

A linguagem falada, por outro lado, é muito mais antiga, tem centenas de milhares de anos, e seu aparecimento remonta a hominídeos que antecederam o aparecimento de nossa espécie. A linguagem verbal é uma das características da espécie humana, e sua evolução, tão remota, deixou marcas em nosso cérebro, onde podemos encontrar circuitos especializados no processamento da linguagem. Um fato curioso é que essas regiões desenvolvidas para o processamento da linguagem estão presentes geralmente no hemisfério esquerdo, que na maioria das pessoas é muito mais competente que o hemisfério direito na sua percepção e expressão[1].

Desde o século XIX se conhecem duas regiões no córtex cerebral que, quando lesadas, provocavam afasias, isto é, a perda da capacidade de comunicação por meio da linguagem verbal **(Fig. 8.1)**. A primeira localiza-se no lobo frontal do hemisfério esquerdo e é conhecida como **área de Broca**. Essa região está relacionada com a expressão da linguagem, pois os pacientes portadores de alterações aí localizadas, embora compreendam o que se diz a eles, comunicam-se com dificuldade, apenas por palavras isoladas e monossílabos. A segunda localiza-se na junção entre os lobos temporal e parietal, também do lado esquerdo, e está relacionada com a compreensão da linguagem. Sua lesão faz com que os pacientes sejam

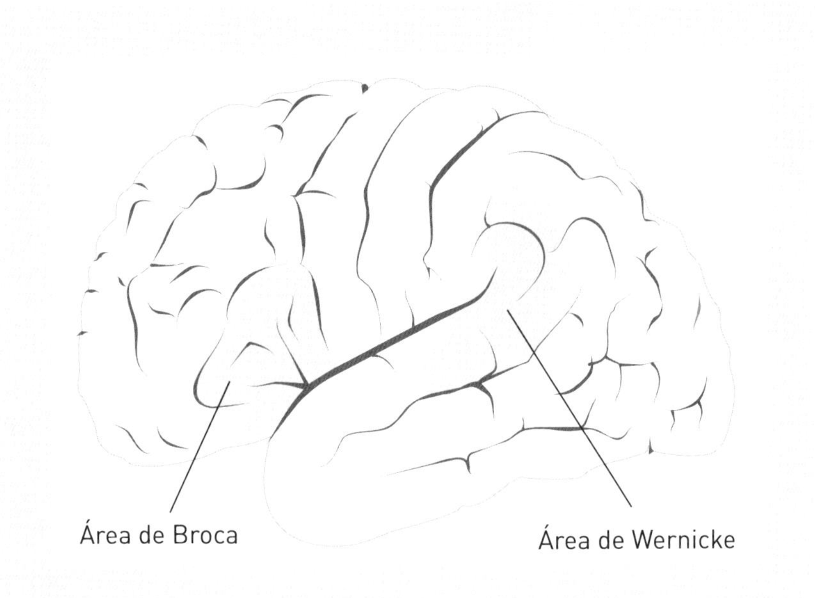

FIGURA 8.1
A figura mostra as regiões do córtex cerebral envolvidas com a linguagem verbal.

[1] Alguns indivíduos, geralmente canhotos, podem ter as áreas da linguagem excepcionalmente localizadas no hemisfério direito.

incapazes de entender o que se diz a eles e, embora possam falar com fluência, o que dizem não tem sentido. Essa região leva o nome de **área de Wernicke**[2].

Portanto, essas partes do cérebro são construídas a partir de informações genéticas, de forma a serem capazes de lidar com a linguagem falada, que não precisa ser ensinada, visto que as crianças a adquirem espontaneamente no contato com a comunidade social que a utiliza. Existem evidências de que, no nascimento, as crianças já conseguem discriminar os fonemas, mesmo aqueles presentes em línguas que ela desconhece. Na verdade, elas perdem um pouco dessa capacidade ao longo do primeiro ano de vida, uma vez que deixam de discriminar os fonemas que não são comuns à língua a que estão expostas (as crianças japonesas, por exemplo, deixam de discriminar entre o som do *r* e do *l*). Como já estudamos, algumas conexões formadas no período pré-natal podem ser eliminadas se não forem expostas a estímulos depois do nascimento (Capítulo 2).

Falar é fácil, mas ler já é um pouco mais difícil. A linguagem escrita, exatamente por ser uma aquisição recente na história da nossa espécie, não dispõe de um aparato neurobiológico preestabelecido. Ela precisa ser ensinada, ou seja, é necessário o estabelecimento de circuitos cerebrais que a sustentem, o que se faz por meio de dedicação e exercício. O que ocorre é que estruturas e circuitos desenvolvidos ao longo da evolução para executarem outras funções são agora recrutados para processar a linguagem escrita. A aprendizagem da leitura modifica permanentemente o cérebro, fazendo com que ele reaja de forma diferente não só aos estímulos linguísticos visuais, mas também na forma como processa a própria linguagem falada. Por exemplo, os alfabetizados passam a ter consciência de que as palavras são constituídas por elementos menores, as sílabas e fonemas, o que escapa à compreensão dos analfabetos.

As modernas técnicas de pesquisa, que utilizam neuroimagem funcional ou registros elétricos precisos, revelaram a existência de três centros corticais importantes para a leitura das palavras. Um deles se localiza no **lobo frontal**, em região que coincide, em parte, com a área de Broca; outro se localiza na **junção parieto-temporal**, também coincidindo parcialmente com a área de Wernicke, e o terceiro está situado na **junção occipito-temporal** (**Fig. 8.2**).

[2] Os nomes (epônimos) dessas regiões se referem aos neurologistas Paul Broca (1824-1880) e Carl Wernicke (1848-1905), que correlacionaram lesões localizadas nessas regiões do cérebro com os sintomas encontrados nos pacientes com os respectivos problemas da linguagem.

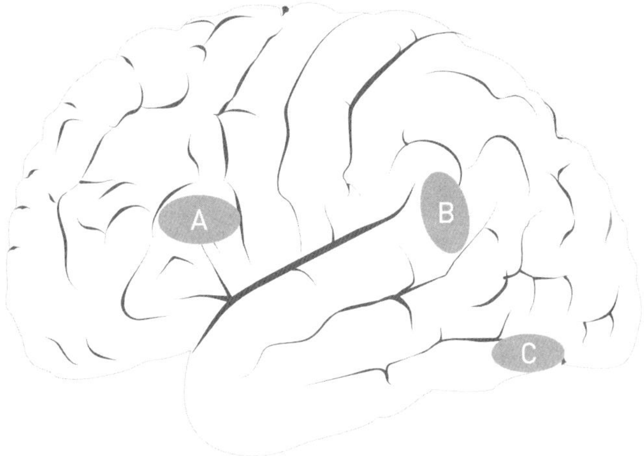

FIGURA 8.2
As regiões **A**, **B** e **C** delimitam porções do córtex cerebral que são ativadas durante a leitura. As regiões frontal **(A)** e temporo-parietal **(B)** estão associadas à decodificação grafo-fonológica das palavras. A região occipito-temporal **(C)** corresponde à "área da forma visual da palavra" e se encarrega de uma decodificação direta, mediada pela visão.

Algumas teorias procuram explicar a ativação desses centros durante a leitura das palavras, e o chamado **modelo da dupla via** parece descrever com mais precisão o que acontece. Como já sabemos (Capítulo 1), os estímulos visuais são levados pelas vias ópticas até o córtex cerebral. Segundo o modelo em questão, depois de ser percebida nas áreas corticais da visão, a palavra pode passar por duas vias para ser decodificada em termos da linguagem. Na primeira, ocorre um processo de "montagem" grafo-fonológica, que converte passo a passo as letras em sons. Nesse processo estão envolvidas as regiões frontal e parieto-temporal. Na segunda via, que termina na área occipito-temporal, a palavra é reconhecida de forma global por um processo de identificação direta, e por isso mesmo essa área é conhecida como "área da forma visual da palavra" [3]. Ambas as vias convergem

[3] Essa região costuma ser designada por VWFA, da sigla em inglês "Visual Word Form Área".

para a área de Wernicke, relacionada com a decodificação semântica ou com o significado da palavra.

No caso da primeira via, dois tipos de decodificação fonológica ocorrem na leitura. No primeiro deles, o som da palavra está de certa forma ligado à sua articulação, pois é processada na região frontal do lado esquerdo, que integra a área de Broca que, como já vimos, está envolvida da expressão da linguagem. Poderíamos pensar que a ativação dessa área só ocorre na leitura em voz alta, mas ela se ativa também na leitura silenciosa, e ler silenciosamente, portanto, não é uma tarefa apenas visual, pois o cérebro é mobilizado de maneira semelhante à que ocorre na leitura em voz alta.

O segundo tipo de decodificação fonológica tem lugar na região parieto-temporal. Nela ocorre um processo similar ao da percepção auditiva da palavra, só que ativada pela informação de origem visual. Seria algo como "olhar para o som da palavra", uma curiosa fusão dos sentidos da visão e da audição.

No caso da segunda via, ocorre uma decodificação direta, um reconhecimento imediato da área da forma visual da palavra (VWFA), que é uma região que faz parte das zonas corticais da visão. É como se a palavra fosse reconhecida como numa fotografia. Aliás, essa área parece conter um circuito que não é específico para o reconhecimento de palavras, pois está envolvido em outras habilidades que requerem a síntese de vários componentes visuais. Trata-se de uma região que tem outras funções na percepção visual, mas que, no hemisfério esquerdo, é recrutada e adaptada para o processamento da leitura durante o seu aprendizado.

Um fato interessante revelado pelas pesquisas é que existem diferenças na ativação das duas vias, dependendo do idioma que está sendo processado. A área da forma visual da palavra é ativada preferencialmente nos leitores das línguas inglesa e francesa. Por outro lado, para a leitura em italiano, a região parieto-temporal, ligada ao processamento fonológico, é mais ativada do que a área da forma visual da palavra, sendo a mais importante. A variação ocorre porque o inglês e o francês são línguas de ortografia "profunda", ou seja, em que um grande número de palavras é grafado de forma diferente de sua pronúncia, de forma que a leitura depende de um conhecimento prévio, do contexto, etc. O italiano é uma língua de ortografia "superficial", em que as palavras em geral são lidas da forma que são escritas. Os achados provavelmente podem ser generalizados para o português, em que a ortografia também é superficial[4].

[4] Curiosamente, a leitura do chinês parece envolver outros circuitos (a escrita é ideográfica), localizados no lobo parietal, em uma região que se ocupa normalmente com a percepção espacial. Esse dado mostra como o cérebro se adapta plasticamente para assumir as funções da leitura.

É importante notar que, no processo de leitura, há também a mobilização da atenção, cujos circuitos já estudamos no Capítulo 3. O cérebro, com a participação da atenção, pode decodificar uma palavra por uma via ou por outra, invertendo a prioridade das computações cerebrais de acordo com as necessidades do momento.

Aprender a ler é uma tarefa complexa que exige várias habilidades, entre elas, é claro, o conhecimento dos símbolos da escrita e a sua correspondência com os sons da linguagem. Muitas pesquisas têm mostrado, no entanto, que o melhor indicador para o aprendizado da leitura é a habilidade que a criança tenha de lidar com os fonemas. Maus leitores parecem não ter a habilidade de identificar adequadamente os sons constituintes das palavras, o que os impede de fazer a conexão automática da representação gráfica das letras com os sons.

A habilidade de ler é um processo que tem início bem antes dos anos escolares. Como vimos, no primeiro ano de vida a interação com as pessoas moldam na criança a percepção dos fonemas da sua linguagem nativa. Esse processo é importante para o desenvolvimento da linguagem falada e fornece a base para a aprendizagem da leitura. Contudo, ele pode ser deficiente, trazendo problemas no futuro. Na escola, parece ser essencial que a criança saiba ou aprenda a pronunciar as palavras corretamente, de forma a assegurar a conexão entre a representação gráfica das letras, visualmente, e o som correspondente. Posteriormente, a leitura fluente vai necessitar do desenvolvimento da habilidade de agrupar as letras em unidades maiores, o que ocorre à medida que a criança pratica a leitura. Algumas crianças, que apresentam uma deficiência na aquisição da leitura, requerem uma ajuda especial nesses processos.

O aprendiz da leitura utiliza o sistema fonológico para decodificar palavras novas ou irregulares, mas, com o aumento da habilidade, o cérebro torna-se capaz de reconhecer os padrões ortográficos de maneira a processá-los rapidamente, utilizando a segunda via, de percepção global. A decodificação fonológica pode tornar-se uma parte opcional da leitura fluente, na qual é utilizada, para as palavras já muito familiares, a alternativa direta, que vai da VWFA para as regiões de decodificação semântica.

Trabalhos realizados com técnicas de neuroimagem funcional revelam que crianças que têm dificuldade com a leitura não ativam, enquanto leem, as áreas posteriores do cérebro, relacionadas com a forma das palavras e com a decodificação fonológica. Em compensação, há uma ativação maior da área frontal, o que é interpretado como indicação de que um maior esforço está sendo despendido. O treinamento fonológico, ao longo de um ano, é suficiente para que as crianças melhorem a habilidade de leitura e as imagens mostrem um aumento na ativação das áreas posteriores.

Estudos realizados em crianças normais ou com problemas de leitura, utilizando-se dados de neuroimagem, mostram o aumento da atividade na região occipitotemporal (VWFA) quando ocorre melhoria da habilidade de leitura, independentemente da idade da criança.

As crianças diferem, como se sabe, na facilidade na aquisição da leitura, e frequentemente aquelas com algum atraso podem recuperar-se com uma ajuda adequada. Algumas crianças, no entanto, apresentam uma **dislexia do desenvolvimento** e permanecem com dificuldades de leitura mesmo depois de muito esforço e treino[5]. Os dados indicam que elas constituem cerca de 5% da população e que há maior incidência em algumas famílias. Entre os transtornos da aprendizagem, a dislexia é o mais frequente, pois são disléxicos cerca de 80% dos diagnosticados com esses problemas.

A dislexia é um distúrbio neurobiológico caracterizado pela dificuldade no reconhecimento preciso ou fluente das palavras, com dificuldade de soletrar e recodificar os sinais gráficos em sons. O problema resulta de uma deficiência do componente fonológico da linguagem, que geralmente contrasta com as demais habilidades cognitivas do indivíduo que tem inteligência normal.

Os estudos com neuroimagem mostram que os disléxicos têm um menor desenvolvimento das áreas corticais posteriores envolvidas no processamento da leitura. Embora não se conheça a origem do problema, ela pode estar ligada a uma alteração sutil no desenvolvimento cerebral, talvez no posicionamento das células neuronais ou no estabelecimento de suas conexões ainda no período embrionário (Capítulo 2).

Existem relatos de que o treinamento intensivo da habilidade de associar os sons (fonemas) com as letras pode ter efeito positivo na capacidade de leitura dos disléxicos. Há, inclusive, evidências de que eles desenvolvem recursos compensatórios no sistema anterior, nas áreas frontais que processam a leitura, tanto do lado esquerdo como do lado direito do cérebro, bem como da região equivalente à VWFA, no hemisfério direito. Com isso, conseguem decodificar palavras, ainda que mais lentamente e de forma não automática. O problema da leitura torna-se menor, mas eles continuam a ser leitores lentos, permanecendo sempre com dificuldades.

A dislexia parece ser mais séria nos falantes do inglês e do francês, por causa da ortografia profunda. Disléxicos italianos podem aprender a ler e escrever com

[5] A dificuldade na compreensão da leitura observada em crianças denomina-se **dislexia do desenvolvimento** para diferenciá-la da dislexia que pode aparecer como sintoma de uma lesão cerebral em pacientes que anteriormente eram capazes de ler.

um pouco mais de desenvoltura, embora a leitura ainda seja mais lenta que a de seus colegas não disléxicos e que elas tenham um desempenho menor nas atividades de memória verbal. Mais uma vez, é razoável esperar um comportamento semelhante dos disléxicos falantes do português, embora não tenhamos comprovação experimental.

Os disléxicos costumam ter dificuldades com a linguagem que já podem ser notadas antes da idade escolar. Eles têm problemas com a memória verbal e com o aprendizado de palavras novas. Essas crianças podem ter, além disso, sintomas associados, como um déficit de atenção ou na coordenação motora, que não são a causa da dificuldade de leitura, embora possam contribuir para ela.

Os disléxicos, como vimos, podem melhorar seu desempenho na leitura por meio de esforço e treino específico, mas sempre lerão de forma mais lenta, demandando esforço, uma vez que a alteração do funcionamento cerebral é permanente. É importante que a escola reconheça essa limitação e adote estratégias pedagógicas alternativas como, por exemplo, a opção por avaliações orais.

Nos últimos anos, houve grande avanço na compreensão dos mecanismos neurobiológicos que possibilitam a capacidade da leitura das palavras, mas pouco ainda se conhece sobre o processo pelo qual o cérebro lida com o conhecimento semântico (significado das palavras), as regras sintáticas que permitirão compreender as relações entre as palavras (Maria odeia João ≠ João odeia Maria), ou a maneira como se faz a compreensão das sentenças e de textos mais extensos. Sabemos que a memória operacional tem um papel importante na manutenção da informação na consciência, de forma que o leitor possa chegar ao final de uma frase e compreender seu significado levando em consideração as primeiras palavras que leu, sem tê-las esquecido. Sabemos também que ela atua de forma que não precisamos de nos lembrar de cada palavra de um parágrafo, mas guardamos a essência do seu significado para relacioná-lo com a informação que virá a seguir.

Esses e outros problemas continuam a desafiar os pesquisadores, mas pode-se esperar que, em um futuro próximo, sejamos capazes de compreender amplamente como nosso cérebro é capaz de decifrar os sinais gráficos da linguagem, sejam eles gravados em argila ou projetados no cristal líquido do monitor de um computador.

RESUMO

1 O cérebro humano tem duas regiões, geralmente localizadas no hemisfério esquerdo, especializadas para a linguagem falada: a área de Broca, no lobo frontal, e a área de Wernicke, na junção temporo-parietal.

2 O cérebro desenvolve circuitos que se especializam para a capacidade da leitura, embora não exista uma programação genética, como ocorre para o processamento da linguagem falada. Esses circuitos localizam-se no lobo frontal, na junção temporo-parietal e na junção occipito-temporal.

3 A decodificação das palavras parece ocorrer por duas vias neurais diferentes, uma delas fonológica, a outra por um reconhecimento global da palavra. O reconhecimento grafo-fonológico ocorre nas regiões frontal e temporo-parietal. O reconhecimento global ocorre na área da forma visual da palavra, na junção occipito-parietal.

4 Embora a leitura exija várias competências, o melhor indicador para o aprendizado da leitura é a habilidade que a criança tem de lidar com os fonemas. Maus leitores não reconhecem os sons constituintes das palavras e, portanto, têm dificuldade para realizar a conexão automática das letras com os sons

5 Algumas crianças, embora com inteligência normal, permanecem com dificuldades de leitura mesmo depois de muito esforço e treino. Elas são portadoras de **dislexia**, um transtorno neurobiológico caracterizado por uma deficiência do componente fonológico da linguagem, resultando em dificuldade no reconhecimento fluente das palavras, no soletrar e recodificar os sinais gráficos em sons.

6 Não se conhece precisamente as causas da dislexia, mas ela pode estar ligada a uma alteração sutil no desenvolvimento cerebral, talvez no posicionamento das células neuronais ou no estabelecimento de suas conexões, ainda no período embrionário. Existem indicações de que o treinamento intensivo da habilidade de associar os sons (fonemas) com as letras pode ter efeito positivo na capacidade de leitura dos disléxicos.

9

A FILEIRA DOS NÚMEROS

Neste capítulo, veremos as bases da numeracia, ou seja, a capacidade que tem o cérebro de trabalhar com números.

A NUMERACIA OU A CAPACIDADE DO CÉREBRO EM LIDAR COM NÚMEROS

De forma semelhante ao que ocorre com a linguagem, o cérebro humano tem características programadas geneticamente que o habilitam a lidar com números. Para isso, ele é capaz de processar, muito precocemente, o conceito de quantidade. Crianças com poucos meses conseguem discriminar quantidades e até mesmo realizar cálculos simples, ao contrário do que se pensava até recentemente.

Essa capacidade encontrada nos bebês humanos foi evidenciada em experiências nas quais eles observam bonecas que podem ser ocultas por um anteparo. Os bebês veem uma, duas ou três bonecas serem escondidas atrás do anteparo, que depois é retirado. Nesse momento, se o número de bonecas corresponde ao que eles viram sendo escondidas, o interesse é relativamente pequeno. Contudo, se houver uma boneca a mais ou a menos, observa-se que eles fitam demoradamente a cena, intrigados com o resultado inesperado.

A competência para estimar quantidades e fazer comparações entre elas pode ser observada não só nos bebês humanos, mas também em outros animais. Está presente, por exemplo, em ratos, pombos, golfinhos, papagaios e macacos que discriminam magnitudes, seja sob a forma da percepção visual de um grupo de objetos, seja sob a forma da percepção auditiva de uma sequência de sons. Os animais podem realizar aproximações simples de adição ou subtração, além da comparação de quantidades.

Tudo indica que o senso numérico, ou "numerosidade", é uma propriedade básica da representação dos objetos no cérebro dos animais. Ou seja, os objetos são categorizados pela quantidade, da mesma forma que o são pela cor, forma ou localização no espaço. Claro que isso é vantajoso, pois um macaco que não consiga distinguir qual cacho de bananas tem mais frutos encontrará sérias dificuldades na sua sobrevivência diária. Aliás, macacos podem ser treinados para discriminar até mesmo símbolos numéricos, como os algarismos arábicos de zero a nove, relacionando-os com a quantidade.

As pessoas geralmente podem avaliar com rapidez qual de dois números é o maior, respondendo com mais brevidade quando os números não são próximos. Por exemplo, a diferença entre 13 e 5 é percebida mais rapidamente que a diferença entre 7 e 6. Existem evidências de que isso é feito por intermédio de uma representação mental de que todos nós fazemos uso: uma linha ou **fileira de números** **(Fig. 9.1)**. Em nossa cultura[1], a magnitude dessa fileira vai aumentando da esquerda

FIGURA 9.1
A representação mental da magnitude é feita por meio de uma fileira dos números que se dispõe da esquerda para a direita.

[1] Nas culturas em que a escrita é feita da direita para a esquerda, entre os árabes por exemplo, a representação mental da fileira de números também ocorre nesse sentido.

para a direita, de forma que as diferenças de quantidade se relacionam com a distância entre os números e, portanto, têm uma correspondência espacial.

A questão espacial é interessante, porque a percepção da quantidade parece depender de um circuito localizado no córtex parietal **(Fig. 9.2)**, uma região do cérebro que se ocupa também do processamento da percepção do espaço. Coincidentemente, nos resultados dos testes de inteligência, geralmente as habilidades matemáticas e as habilidades espaciais estão correlacionadas. Ou seja, indivíduos que têm bom desempenho nas tarefas espaciais tendem a se sair bem nas tarefas que envolvem a matemática.

Experiências feitas com técnicas modernas de neuroimagem indicam uma ativação do lobo parietal quando os indivíduos estão envolvidos na comparação de quantidades. Lesões localizadas nessa região podem ter como sintoma uma incapacidade de realizar operações matemáticas, uma discalculia, ao mesmo tempo em que aparecem problemas espaciais, como uma dificuldade de distinguir entre esquerda e direita.

É importante afirmar, contudo, que não existe no cérebro um "centro" para a matemática, pois muitas regiões e sistemas cerebrais contribuem para o seu processamento. As atividades matemáticas que utilizamos em nossa cultura exigem o recrutamento e a adaptação de vários circuitos nervosos que, embora não sejam programados geneticamente para os processos matemáticos, passam a executar essas funções de forma integrada com os circuitos que originalmente lidam com

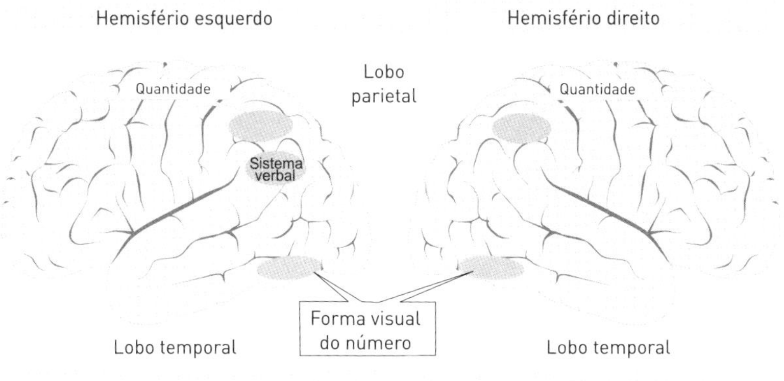

FIGURA 9.2
A figura mostra as regiões corticais associadas ao processamento numérico. Os detalhes são descritos no texto.

a noção de quantidade. É bom lembrar que já observamos um fenômeno semelhante quando estudamos os circuitos cerebrais que se ocupam da leitura no Capítulo 8.

As pesquisas visando a compreensão de como o cérebro lida com os números, realizadas com as técnicas de neuroimagem funcional, mostram que pelo menos três regiões cerebrais estão envolvidas nessa função. Existem diferentes interpretações para os resultados obtidos, mas o **modelo do triplo código**, que descreveremos a seguir, tem sido o mais adotado.

Segundo ele, os números são processados em três circuitos diferentes, que se relacionam com: 1) a percepção da **magnitude** (fileira numérica); 2) a representação visual dos **símbolos numéricos** (algarismos arábicos); e 3) a **representação verbal** dos números (quatro, sete, vinte e um, etc.). Portanto, áreas cerebrais diferentes são ativadas para a decodificação dos numerais arábicos ou dos números apresentados sob a forma verbal.

O primeiro desses circuitos, relacionado com a percepção das quantidades, localiza-se, como já vimos, no córtex do lobo parietal dos dois hemisférios cerebrais, ao redor de um sulco horizontal denominado sulco intraparietal. O segundo, que se ocupa da decodificação dos algarismos arábicos, está localizado em uma porção do córtex na junção occipito-temporal, também em ambos os hemisférios cerebrais. O terceiro circuito, que nos possibilita perceber a representação verbal dos algarismos, se localiza em uma região cortical do hemisfério esquerdo e parece envolver regiões temporo-parietais, que são ligadas ao processamento da linguagem **(Fig. 9.2)**.

Portanto, o processamento das quantidades e dos números envolve circuitos distintos, mas interligados. Dessa forma, a informação é passada de um para os outros sob a coordenação do lobo parietal, que é uma região fundamental para o processamento matemático. Esse padrão de organização parece já estar estabelecido nas crianças aos 5 anos.

Como vimos, as crianças têm um senso inato da representação de quantidade. Posteriormente, a exposição à linguagem e à educação matemática desenvolve o reconhecimento dos algarismos, sua expressão verbal, bem como os procedimentos para a realização de cálculos com múltiplos algarismos, por exemplo. O treino nessas atividades promove a formação e a estabilização das conexões nervosas necessárias, permitindo o funcionamento integrado dos sistemas cerebrais envolvidos.

Diferentes habilidades matemáticas se dissociam no cérebro. Ambos os hemisférios cerebrais identificam e comparam números, mas só o hemisfério esquerdo é capaz de decodificar a representação verbal dos algarismos, já que, como vimos no Capítulo 8, é ele que se ocupa do processamento da linguagem.

Indivíduos com uma lesão no lobo parietal esquerdo podem perder a capacidade de fazer cálculos, ao mesmo tempo em que conservam a noção da quantidade do número e ainda são capazes de fazer estimativas aproximadas (somas aproximadas, por exemplo). Isso é feito por intermédio do seu lobo parietal direito, ainda intacto. A capacidade de fazer cálculos de forma precisa parece depender de uma participação das áreas da linguagem e, portanto, do envolvimento do hemisfério esquerdo.

As pesquisas com neuroimagem mostram que, quando as pessoas comparam números ou quantidades, ocorre ativação do lobo parietal bilateralmente, com predomínio do lado direito. Quando elas executam uma multiplicação, a ativação se desloca para o hemisfério esquerdo. A realização de cálculos precisos faz uso, portanto, das áreas relacionadas com a linguagem, enquanto a estimativa aproximada depende de regiões não verbais, que lidam com o processamento espacial e visual.

Resumindo, o hemisfério esquerdo calcula, o direito faz estimativas que se aproximam do resultado correto. Ambos os hemisférios são capazes de fazer comparações de quantidades e de avaliar números.

As crianças têm habilidades elementares para lidar com somas e subtrações e começam a aprender a contar aos 2 anos, paralelamente ao grande desenvolvimento da linguagem que ocorre nessa época. As operações matemáticas precisas vão depender da maturação das áreas corticais da linguagem. Os fatos da multiplicação, por exemplo, são aprendidos com o envolvimento da linguagem e da memória declarativa e, uma vez aprendidos, não utilizam a representação de quantidade para sua execução. Podemos constatar isso por meio dos erros cometidos na resolução desses fatos. Para a solução de 6×7, é mais comum a resposta errada 36 (que é 6×6) do que 41 ou 43, que seriam mais próximos, do ponto de vista quantitativo, da resposta correta, 42.

Por isso, é bom ter em mente que uma criança com dificuldades de leitura ou de linguagem pode acabar tendo dificuldades na aprendizagem de matemática, embora possua as outras capacidades necessárias para lidar com ela.

Vimos no capítulo anterior que algumas crianças têm uma dificuldade inata com a leitura, denominada dislexia. Da mesma forma, existem crianças nas quais a numeracia não se desenvolve, embora tenham bom nível de inteligência e treinamento adequado em um ambiente saudável. Essas crianças têm uma **discalculia do desenvolvimento,** um problema que parece resultar de uma deficiência do senso numérico (a noção de quantidade e suas relações)[2].

[2] A discalculia que aparece nas crianças é uma **discalculia do desenvolvimento**, pois uma incapacidade de realizar cálculos matemáticos (uma discalculia) pode aparecer repentinamente em adultos, como sintoma de uma lesão cerebral.

Nas crianças que sofrem de discalculia, a capacidade de adquirir as habilidades matemáticas está seriamente prejudicada. Elas não conseguem lidar nem mesmo com o conceito de número, e as situações que envolvem matemática tornam-se um problema não só na escola, mas também nas atividades cotidianas. Para elas, a matemática e seus conceitos são como uma língua estrangeira desconhecida.

Deve-se levar em conta que essas crianças podem ter habilidades normais em outras áreas cognitivas, mas serem rotuladas de "burras" por causa dos seus problemas com a matemática. Por outro lado, as dificuldades com a matemática podem trazer medo e ansiedade, que interferem no funcionamento de outras áreas cognitivas, ainda que preservadas.

Não se conhecem ainda as causas para a discalculia, mas parece haver uma alteração dos circuitos do lobo parietal, causados ou por lesão precoce ou por defeito genético no momento de sua formação. A suspeita de uma causa genética é reforçada pelo fato de que a discalculia tem uma incidência maior em algumas famílias.

Existem evidências de que os indivíduos com discalculia podem se beneficiar de um treinamento específico para desenvolver a capacidade de identificar e manipular quantidades. Ao final, eles podem ser capazes de executar, pelo menos, as operações matemáticas básicas. Além disso, ferramentas externas também podem ser utilizadas para minimizar o problema. Calculadoras, por exemplo, podem ser utilizadas por eles, desde que sejam capazes de identificar os números e tenham noção das quantidades envolvidas.

Como já vimos, a dislexia e a discalculia são problemas diferentes e independentes, mas podem ocorrer concomitantemente no mesmo indivíduo. Há necessidade sempre de uma avaliação neuropsicológica para o diagnóstico e orientação quanto às intervenções adequadas, mesmo porque a discalculia pode vir acompanhada de outros transtornos, como o déficit de atenção e a hiperatividade.

É preciso lembrar, além disso, que uma criança que apresenta dificuldades com matemática não tem, necessariamente, uma discalculia do desenvolvimento. Um ambiente socialmente empobrecido ou pouco estimulante pode levar a esses sintomas. Por outro lado, sabe-se que o senso numérico pode ser aperfeiçoado por meio de jogos e outras atividades promovidas pela interação social. Essas intervenções parecem aumentar a habilidade de utilizar a fileira mental de números.

Sabemos que a noção de quantidade, que está associada ao uso da fileira mental de números, por um lado, e a habilidade de contar e realizar computações simples, por outro, não estão inicialmente vinculados. A criança pode saber contar e ainda não identificar qual número é o maior ou o menor. O desenvolvimento da fluência e da proficiência nos cálculos básicos e a exatidão e eficiência nas estratégias de contar são objetivos importantes nas intervenções para o aprendizado da matemática. A contagem deve ser substituída, aos poucos, pela memória verbal nos cálculos simples, ou seja, deve passar do concreto (uso dos dedos, por exemplo) para o mental. Para isso, o treinamento, na escola ou informalmente, é importante e não deve ser negligenciado.

As relações entre a matemática e o cérebro só começaram a ser desvendadas recentemente. Hoje temos uma compreensão razoável de como o cérebro lida com os números e a matemática básica, que são as habilidades mais necessárias no nosso dia a dia, para lidar com problemas prosaicos como saber as horas, manipular o dinheiro ou mesmo cozinhar. As habilidades matemáticas mais complexas ainda não foram suficientemente estudadas, e podem envolver outros sistemas cerebrais.

Nosso conhecimento atual nos permite afirmar que a memória operacional e a atenção têm de ser envolvidas na resolução dos problemas matemáticos e, portanto, os circuitos com elas relacionadas serão certamente mobilizados. Como vimos no Capítulo 7, sobre as funções executivas, o monitoramento e a correção de erros terá que envolver a região do cíngulo anterior, bem como a região pré-frontal. Esta última é também fundamental na elaboração de estratégias para a resolução de problemas que exigem etapas sequenciais.

As investigações continuam, e achados estimulantes podem ser esperados para um futuro não muito distante.

RESUMO

1 O cérebro humano tem uma programação inata para lidar com números. Ele processa, muito precocemente, o conceito de quantidade.

2 O senso numérico, ou "numerosidade", é uma propriedade básica da representação dos objetos no cérebro dos animais. Na espécie humana, isso é feito através de uma representação mental, uma linha ou fileira de números cuja magnitude vai aumentando da esquerda para a direita.

3 A percepção da quantidade localiza-se em um circuito existente no córtex parietal. Não há no cérebro um "centro" para a matemática, pois muitas regiões e sistemas cerebrais contribuem para o seu processamento

4 Segundo o modelo do triplo código, os números são processados em três circuitos diferentes que se relacionam com a percepção da magnitude, a representação visual dos símbolos numéricos (algarismos arábicos) e a representação verbal dos números (quatro, sete, vinte e um, etc.).

5 O hemisfério esquerdo é capaz de fazer cálculos, e o direito faz estimativas que se aproximam do resultado correto. As operações matemáticas precisas dependem da maturação das áreas corticais da linguagem. Ambos os hemisférios são capazes de fazer comparações de quantidades e de avaliar números.

6 Existem crianças nas quais a numeracia não se desenvolve, embora tenham bom nível de inteligência e treinamento adequado. Essas crianças têm **discalculia,** um problema que parece resultar de uma deficiência do senso numérico.

7 Não se conhecem as causas para a discalculia, mas parece haver uma alteração dos circuitos do lobo parietal, causados por lesão precoce ou por defeito genético.

8 Existem evidências de que os indivíduos com discalculia podem se beneficiar de um treinamento específico para desenvolver a capacidade de identificar e manipular quantidades.

10

LERDOS E ESPERTOS, ESTÚPIDOS E BRILHANTES

Neste capítulo, veremos o fenômeno da inteligência e suas relações com o funcionamento do cérebro.

A INTELIGÊNCIA E O FUNCIONAMENTO CEREBRAL

O conceito de inteligência é amplo e tem variado ao longo do tempo e nos diversos ambientes culturais, mas pode ser considerado como a habilidade de se adaptar ao ambiente e aprender com a experiência. Observa-se que os indivíduos variam amplamente nesses atributos, podendo ser classificados desde lerdos a espertos, de estúpidos a brilhantes.

Recentemente, pesquisadores do assunto propuseram uma definição abrangente: "A inteligência é uma capacidade muito geral que, entre outras coisas, envolve a habilidade de raciocinar, planejar, resolver problemas, pensar de forma abstrata, compreender ideias complexas, aprender rapidamente e por meio da experiência. Não é apenas uma habilidade acadêmica, uma aprendizagem livresca ou esperteza ao responder testes. Ela reflete uma capacidade mais ampla e profunda para a compreensão do ambiente: apreender o contexto, dar sentido às coisas, antecipar o melhor curso de ação. A inteligência, definida dessa forma, pode ser medida, e os testes de inteligência o fazem de forma adequada".

Os testes para medir a inteligência têm sido utilizados desde o século XIX. O pioneiro parece ter sido o inglês Francis Galton, que sugeriu pela primeira vez que os dotes mentais seriam transmitidos hereditariamente. Já no início do século XX, o governo francês criou uma comissão de estudiosos para desenvolver um método que pudesse identificar as crianças que não se saíam bem na escola com o objetivo de recuperá-las por meio de um programa de reforço. O grupo, liderado por Alfred Binet, desenvolveu um teste que avaliava muitos aspectos da cognição, utilizando-se de várias tarefas como copiar um desenho, memorizar uma série de algarismos, repetir uma história, etc. Os estudiosos raciocinavam que uma pessoa pode se sair bem em uma tarefa por acaso ou por uma experiência anterior, mas, que, para se sair bem em todos esses testes, era realmente necessária uma capacidade diferenciada. A avaliação desenvolvida por Binet e seus colaboradores foi o primeiro teste estruturado para medir a inteligência no mundo ocidental. Desde então surgiram muitos outros instrumentos de avaliação, entre eles as escalas Weschler e as Matrizes Progressivas de Raven, ainda em uso no nosso país.

Os resultados dos testes de inteligência, por convenção, são expressos em uma escala que tem média 100. Cerca de 95% da população obtém resultados que ficam entre 70 e 130[1]. Geralmente o resultado obtido é chamado de **QI** (que significa quociente de inteligência, ou quociente intelectual), porque os primeiros testes calculavam esse índice dividindo a "idade mental" pela idade cronológica e multiplicando por 100. Embora esse procedimento não seja mais usado, a denominação **QI** continuou em uso corrente.

Os testes de inteligência são usualmente constituídos de muitas tarefas que medem diferentes habilidades, como o raciocínio visioespacial ou simbólico, a capacidade de fazer inferências, detectar similaridades ou diferenças em padrões verbais ou geométricos ou ainda processar a informação de forma rápida e precisa. Contudo, verifica-se que os resultados obtidos por uma pessoa nas diversas tarefas são estatisticamente correlacionados. Ou seja, quem se sai bem em uma delas, tende a ter bom resultado nas outras, ocorrendo o mesmo com quem falha, pois tende a ter resultados ruins nos demais. Ainda no início do século XX, um pesquisador chamado Charles Spearman estudou esse fenômeno com o auxílio de um instrumento matemático, a análise fatorial, o que lhe permitiu concluir que a correlação[2] existente entre os diferentes resultados indicava a presença de uma habilidade comum, que foi denominada de inteligência geral ou fator ***g***.

[1] Os cálculos estatísticos aplicados aos resultados dos testes de inteligência revelam a média 100, com um desvio padrão de 15. Portanto, os resultados de 70 a 130 estão dentro do limite de dois desvios padrão da média.

[2] A correlação é uma medida estatística para verificar se existe relação entre dois fenômenos, se eles variam juntos ou são independentes. A correlação é expressa em valores de zero (se não houver relação) até um, quando é completa. Se uma das medidas sobe enquanto a outra desce, a correlação é expressa com valores negativos (0 a -1), se as duas sobem e descem juntas, a correlação é positiva (0 a +1).

Embora ainda sejam criticados, os testes de inteligência parecem ser fidedignos, pois a correlação é nítida entre os diferentes resultados obtidos ao longo da vida de uma pessoa. E apresentam validade, pois existe correlação significativa entre seus resultados e o desempenho acadêmico, profissional e mesmo com a longevidade. Observa-se que as pessoas com maior inteligência tendem a ter uma saúde melhor e menor probabilidade de morrer jovens. As correlações são moderadas, mas não podem ser ignoradas. Além disso, os dados obtidos em estudos genéticos e em pesquisas que utilizam técnicas de neuroimagem têm mostrado uma boa correlação com os resultados dos testes de inteligência, o que reforça a validade dessas avaliações, contrariando os que afirmam que elas não têm significado.

Contudo, sabemos que os indivíduos diferem em suas habilidades e por isso o fator *g* parece ser uma medida pouco discriminativa. As pessoas costumam apresentar áreas de vigor ou fraqueza em relação ao funcionamento cognitivo. Podem, por exemplo, ser fortes na percepção espacial, mas não tão boas na expressão verbal, enquanto outras exibem padrões diferentes. Para dar conta dessas observações, tem havido muitas propostas que utilizam um **modelo hierárquico da inteligência** **(Fig. 10.1)**. Geralmente nesses modelos o fator *g* continua sintetizando o resultado geral, mas consideram-se níveis intermediários, que congregam capacida-

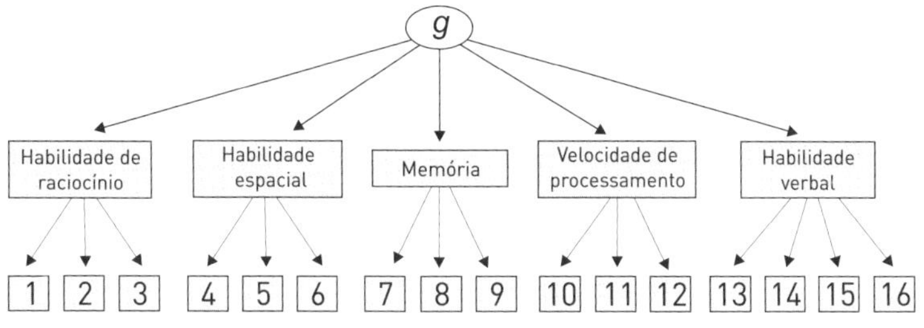

FIGURA 10.1
Um modelo hierárquico da inteligência. No topo encontra-se ***g***, a inteligência geral; em um nível intermediário encontram-se habilidades abrangentes, todas correlacionadas com ***g***; e em um nível inferior várias habilidades específicas (representadas pelos números). As habilidades específicas podem se agrupar de acordo com sua correlação com as habilidades do nível intermediário e, portanto, terão também correlação com ***g***.

des em diversos campos de habilidades, e também níveis inferiores, onde se encontram as habilidades mais específicas. É bom lembrar que, dentre os subtestes encontrados nos testes de inteligência, alguns medem a capacidade linguística, outros a numérica, outros ainda a capacidade espacial, mecânica, etc. Todas essas capacidades são geralmente correlacionadas, o que contribui para o fator *g*, mas podem variar de pessoa a pessoa. Dessa forma, duas pessoas com QI idêntico são frequentemente diferentes nas habilidades subjacentes.

Não conhecemos exatamente a natureza de *g*, mas muitos pesquisadores costumam dividir a inteligência geral em dois componentes, um *g* fluido e um *g* cristalizado. A **inteligência fluida** seria a capacidade de lidar com problemas novos, que exigem velocidade e flexibilidade mental. A **inteligência cristalizada**, por outro lado, se refere às habilidades já existentes e ao conjunto de informações acumuladas, que se aplicam para resolver problemas semelhantes aos que já foram encontrados em outras ocasiões. A inteligência fluida é prejudicada pelo uso de drogas, a fadiga, o envelhecimento e a depressão. A inteligência cristalizada tende a aumentar com a idade.

Embora a abordagem psicométrica seja a mais acatada nos meios acadêmicos, há aqueles que argumentam que muitas capacidades cognitivas importantes não são adequadamente avaliadas pelos testes de inteligência em uso corrente. Acredita-se que a habilidade de resolver algumas questões está fortemente ligada à educação ou ao contexto cultural. Daí existirem propostas alternativas a esse conceito de inteligência.

O psicólogo e pesquisador da Universidade de Harvard, Howard Gardner, propôs, em 1983, a **teoria das inteligências múltiplas**, segundo a qual existiriam oito inteligências: verbal, lógico-matemática, visioespacial, corporal-cinestésica, musical, interpessoal, intrapessoal e naturalística.

Segundo a teoria, a inteligência verbal ou linguística envolve a leitura, a escrita e a capacidade de se expressar na língua materna ou em línguas estrangeiras. A inteligência lógico-matemática tem a ver com a habilidade de realizar operações matemáticas, reconhecer padrões e relações e com a capacidade de resolver problemas utilizando a lógica. A inteligência visioespacial se aplica à percepção do ambiente, à capacidade de criar e manipular imagens mentais e também à orientação espacial. A inteligência corporal-cinestésica encarrega-se da coordenação e habilidade motora, tanto para movimentos grosseiros quanto para os delicados e tem a ver com a expressão pessoal e com a aprendizagem por meio da atividade física. A inteligência musical envolve a compreensão e a expressão por meio da música, do ritmo e da dança e compreende a composição, a execução e a condução musicais. A inteligência interpessoal coordena as capacidades de compreender as pessoas, de comunicar-se com elas e de trabalhar de forma colaborativa. A inteligência intrapessoal tem a ver com a capacidade de compreender e lidar com as próprias emoções e pensamentos, com a habilidade de controlá-los e trabalhar com eles de forma objetiva. Finalmente, a inteligência naturalística, proposta alguns anos depois das outras, envolve a compreensão da natureza, plantas e animais, apreendendo suas características e categorizando-os adequadamente. Essa inteligência envolve, segundo o autor, uma aguda capacidade de observação, que pode ser utilizada para classificar também outros objetos.

Para Gardner, cada inteligência atuaria por meio de sistemas neurais distintos e independentes. Sua teorização baseou-se em uma revisão da literatura científica, em que foram levados em conta, entre outros, os resultados de lesões cerebrais em que algumas capacidades são perdidas enquanto outras permanecem normais, e também a existência dos *idiots savants*, indivíduos com deficiências mentais em muitas áreas cognitivas mas que apresentam capacidades excepcionais em outras, como a matemática, por exemplo.

As pesquisas realizadas posteriormente mostram que as inteligências sugeridas por Gardner são altamente correlacionadas tanto com o fator *g* (com exceção da cinestésico-corporal) quanto umas com as outras. Portanto, não são autônomas como havia sido proposto, e não há suporte experimental que comprove a existência independente dessas inteligências. Contudo, a teoria das inteligências múltiplas tem o mérito de chamar a atenção para outros campos de aplicação da inteligência em que, usualmente, presta-se pouca atenção, como o controle motor ou mesmo as habilidades musicais. A teoria tem sido empregada em muitos ambientes educacionais, e talvez o seu sucesso esteja ligado ao fato de que introduz atividades alternativas e promove o entusiasmo que, como sabemos, são fatores que facilitam a aprendizagem.

Nos anos de 1990 uma **inteligência emocional** foi proposta por pesquisadores acadêmicos (Salovey e Mayer) e popularizada pelo psicólogo Daniel Goleman, obtendo muito sucesso nos meios de comunicação e empresariais. Ela seria a habilidade de perceber os próprios sentimentos e emoções de forma precisa, de expressar as emoções e lidar com elas de uma maneira positiva, de saber reconhecer as emoções nos outros e com isso facilitar os relacionamentos e o crescimento pessoal. As pesquisas realizadas até o momento, na tentativa de validar essa teoria, têm resultados controversos, mas, em geral, não dão suporte à existência de uma inteligência emocional como entidade isolada, apesar da popularidade e do sucesso por ela alcançados nos meios de comunicação.

Robert Sternberg, outro pesquisador da área da cognição, afirma que quase não existe correlação entre a inteligência geral, medida pelos testes, e a inteligência prática, que seria utilizada para resolver a maioria dos problemas do cotidiano. Ele propõe uma teoria alternativa de inteligência, que envolve três aspectos e que ele chama de **inteligência bem-sucedida** ou **inteligência plena**. Ela seria definida como a habilidade de obter sucesso em um determinado contexto sociocultural aproveitando-se das potencialidades e compensando as desvantagens existentes, de maneira a se adaptar, selecionar, mas também modelar o ambiente, por meio de uma combinação de habilidades analíticas, criativas e práticas. Ele sugere a existência de uma inteligência analítica, uma inteligência prática e uma inteligência criativa. Três habilidades básicas seriam importantes: analíticas – saber analisar e avaliar os problemas e as opções disponíveis; criativas – ser capaz de gerar soluções para os problemas identificados; e práticas – ser capaz de fazer funcionar as opções escolhidas.

Sternberg afirma que as pessoas podem ser inteligentes e criativas e ainda assim agir de forma tola quando não conseguem interagir com aspectos práticos do ambiente que as cerca. Embora existam tentativas de validar e construir testes específicos para a teoria da inteligência plena, ela ainda não se firmou como alternativa na área acadêmica.

O fato é que existem muitas maneiras de ser inteligente, por isso o conceito de inteligência sofre variações, inclusive dependendo do contexto cultural. Outras culturas valorizam habilidades pouco enfatizadas na nossa, como a determinação, a humildade, a independência de julgamento, o autoconhecimento e as aptidões que contribuem para a estabilidade das relações grupais. Portanto, o comportamento inteligente em uma sociedade não é necessariamente o que é valorizado em outra. Por isso mesmo, é difícil mensurar a inteligência de um modo isento de viés cultural. A abordagem psicométrica é a prevalente na nossa cultura, mas é preciso levar em conta que ainda existem questões a serem resolvidas. Conhece-se pouco sobre habilidades e capacidades que os testes usuais não mensuram, como sabedoria, criatividade, conhecimento prático, habilidades sociais, etc.

Tomando a inteligência como tem sido tradicionalmente conceituada e medida em nossa cultura, podemos afirmar que os conhecimentos biológicos são importantes para compreendê-la. Sabemos, por exemplo, que ela sofre influências genéticas e, também, que se correlaciona com a estrutura e o funcionamento do cérebro.

Quanto às influências genéticas, as pesquisas têm mostrado que existe correlação entre o **QI** de pais e filhos biológicos, assim como entre o de irmãos (os valores variam entre +0,4 a +0,5). Os gêmeos idênticos, também chamados de univitelinos, mesmo quando criados separadamente, têm a inteligência altamente correlacionada, e, quando são criados juntos, a correlação pode chegar a +0,8. As correlações entre pais e filhos adotivos, bem como entre irmãos adotados (criados juntos) é menor, sugerindo que o ambiente é fator menos decisivo na determinação da inteligência.

É interessante que a semelhança entre pais e filhos biológicos aumenta com o passar do tempo, ou seja, a herdabilidade da inteligência aumenta com a idade, ao contrário do que seria esperado se apenas os fatores ambientais fossem importantes. Calcula-se que a herdabilidade da inteligência geral tem uma influência de 30% na infância, atingindo até 70% nos anos adultos. Talvez alguns genes demorem a se manifestar, ou talvez as pessoas selecionem ou moldem seu ambiente de acordo com suas propensões genéticas, fazendo com que, com o passar do tempo, as semelhanças genéticas apareçam mais nitidamente. A variação, contudo, não chega a afetar significativamente o valor de *g*.

Sabemos que há uma influência genética significativa no volume e na estrutura de muitas regiões cerebrais, tanto de substância branca quanto cinzenta. Isso se reflete no funcionamento do cérebro em relação à sua capacidade de processamento da informação, e daí podemos inferir que as influências genéticas na inteligência atuam por meio da sua influência na estrutura e funcionamento cerebrais.

Os fatores ambientais, porém, são muito importantes. Sabemos que o ambiente pode controlar a manifestação e o impacto da ação dos genes. Portanto, a genética não implica inevitabilidade ou destino. A desnutrição, a pobreza, a falta de escolaridade podem provocar diminuição do QI. Por outro lado, a escolarização e a melhoria das condições de vida podem ter um efeito positivo para o aumento do QI.

Portanto, a contribuição genética para a inteligência varia de acordo com o ambiente e não pode ser considerada como o fator determinante. A situação pode ser comparada com a altura das pessoas, que tem uma influência genética, mas pode ser alterada por fatores ambientais, como a nutrição ou a instalação de doenças.

Nas últimas décadas tem sido observado um fato interessante: um aumento progressivo nos resultados dos testes de inteligência da população em geral, em todos os lugares onde eles são utilizados. Dos anos de 1950 para os de 1980, por exemplo, houve um aumento de 20 pontos no QI dos adolescentes dinamarqueses. Esse fenômeno é conhecido como o **efeito Flynn**, em homenagem ao pesquisador que mais o estudou. Como não há motivo para suspeitar de mudanças genéticas em período tão curto, conclui-se que o acréscimo é resultado de fatores ambientais ocorridos nos últimos tempos, como a melhor educação, o saneamento e a exposição a uma sociedade mais complexa do ponto de vista técnico-científico.

Tomando a inteligência medida pelo **QI** como referência, encontram-se parâmetros fisiológicos no cérebro que com ela estão correlacionados. Tempos de reação, velocidade da condução nervosa ou metabolismo da glicose no cérebro durante a resolução de problemas são alguns deles. No entanto, para se abordar as relações entre a inteligência e a neurobiologia, é bom lembrar que a inteligência, tomada como a capacidade de adaptar-se e resolver os problemas propostos pela sobrevivência, está presente em todo o mundo animal e desenvolveu-se de forma autônoma nos diversos vertebrados, ou mesmo invertebrados. Todos, ao seu modo, são inteligentes.

Costumamos considerar os primatas e os golfinhos, por exemplo, como animais mais inteligentes que os demais. Temos uma visão antropocêntrica da inteligência e apontamos usualmente a nossa espécie como a mais inteligente de todas, a despeito do comportamento pouco inteligente testemunhado pela história e pela leitura cotidiana dos jornais.

Os pesquisadores da inteligência animal têm tomado como referência a flexibilidade mental ou comportamental, pois ela permite o aparecimento de soluções novas, que não faziam parte do repertório usual do animal. Em relação a essas funções, o tamanho relativo do cérebro em relação ao peso corporal é um dado importante, além da quantidade de córtex cerebral. Nesses aspectos, a espécie humana realmente leva vantagem em relação aos outros animais.

Deve-se levar em conta também o número de neurônios corticais e a velocidade de comunicação entre essas células. Os valores encontrados pelas pesquisas estão correlacionados com a inteligência e indicam um aumento da capacidade de processamento das informações. Além disso, as especializações funcionais em determinados circuitos corticais são ainda mais importantes na determinação das capacidades intelectuais da espécie humana. Essas especializações resultam da maneira como os neurônios corticais se organizaram, dando origem a novas capacidades como a linguagem, a autoconsciência e a chamada "teoria da mente"[3].

Estudos com o auxílio da ressonância magnética mostram uma pequena correlação (+0,33) entre o **QI** e o volume cerebral como um todo. Quando se parcela o cérebro em regiões, nota-se maior correlação da inteligência com o lobo frontal. Deve-se lembrar que as regiões frontais estão envolvidas na memória operacional, na atenção e nas funções executivas, que essas áreas têm uma maturação lenta no desenvolvimento individual e que sofreram considerável expansão na evolução dos primatas, o que é consistente com seu papel no funcionamento intelectual. Além da região pré-frontal, parece haver uma rede neural que inclui regiões do lobo parietal, do córtex do giro do cíngulo bem como outras regiões do lobo temporal e occipital que se relacionam de formas diferentes com a manifestação da inteligência **(Fig. 10.2)**.

[3] A teoria da mente é a capacidade de identificar os próprios processos mentais, reconhecendo a sua presença em outras pessoas, o que permite antecipar a probabilidade de comportamentos e de interação em um determinado contexto.

A espessura do córtex cerebral, que reflete a complexidade dos circuitos nervosos nele existentes, também mostra correlação com a inteligência. Mais uma vez, os achados se referem a áreas corticais terciárias (supramodais), do córtex pré-frontal e parieto-temporal (Capítulo 1). As associações com as diferentes funções cognitivas ainda precisam ser mais bem elucidadas.

A inteligência, portanto, não tem uma localização cerebral específica, mas é produto do funcionamento de sistemas cerebrais interconectados que dependem da eficiência da substância branca, que promove a conexão entre os diversos centros nervosos. Já há estudos que comprovam a importância das vias nervosas do centro branco medular do cérebro nessas funções.

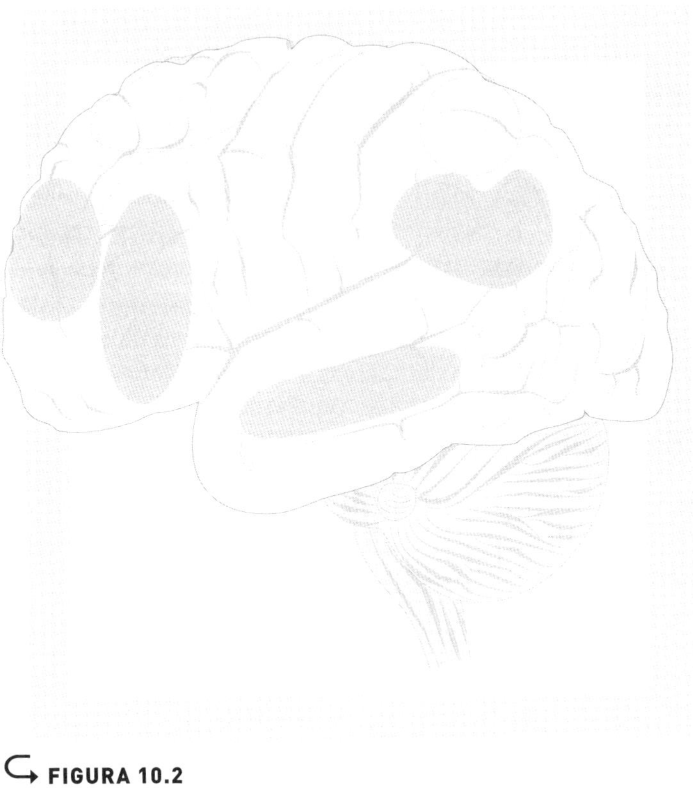

FIGURA 10.2

A figura mostra regiões do córtex cerebral que têm sido identificadas por sua ativação durante a execução de testes de inteligência. As áreas mais escuras se referem a regiões do hemisfério esquerdo, enquanto as mais claras se referem às do hemisfério direito. (Modificado de Jung e Haier, *Behav. Brain Sci.* 30, 2007)

Que parâmetros do funcionamento cognitivo contribuem para a inteligência? Utilizando-se o conceito de inteligência fluida, a velocidade mental (medida pelo tempo de reação) parece ser um deles, pois há uma correlação negativa (-0,50) com os testes de inteligência. Outros parâmetros parecem ser a memória de trabalho, a atenção e também a função executiva (capacidade de escolher os objetivos e as prioridades de forma adequada) que são todos funções da região cortical pré-frontal.

A estrutura cortical é importante para a determinação da inteligência. É preciso levar em conta que a maior quantidade de substância cinzenta pode ocorrer, ainda que parcialmente, porque a pessoa mais inteligente se envolve mais intensamente na aprendizagem ou em situações mais desafiantes, que por sua vez levam ao aumento do volume da substância cinzenta. Esse tipo de interação torna mais difícil separar as influências genéticas das influências ambientais.

Como já mencionamos anteriormente (Capítulo 2), existe uma grande plasticidade na estrutura e no funcionamento do cérebro, que se modifica com a experiência. Áreas motoras se expandem com o treinamento, o hipocampo aumenta de volume em pessoas com muita habilidade na orientação espacial (em taxistas, por exemplo) e músicos têm um aumento do córtex motor, auditivo e visual. Portanto, a estrutura cerebral modifica-se constantemente, e o que foi herdado não é necessariamente definitivo ou estático.

As pesquisas ao longo de todos esses anos de uso dos testes de inteligência demonstram que existe uma relação nítida entre os resultados dos testes e o desempenho escolar. Os estudantes com um resultado mais alto nos testes tendem a aprender mais facilmente que os estudantes com resultados mais baixos. Contudo, a correlação[4] entre esses dois fenômenos não é absoluta. Naturalmente, existem outros fatores que contribuem para o sucesso na escola, como a motivação, o ambiente escolar, fatores culturais, etc.

Além disso, a intervenção escolar (escolaridade formal) afeta a inteligência, não só permitindo o aumento da informação, mas modificando atitudes e criando habilidades intelectuais. A intervenção escolar modifica positivamente os resultados dos testes de inteligência.

A discussão sobre a inteligência tem sido muito contaminada por questões políticas e por preconceitos. A constatação de que o QI está correlacionado com a posição socioeconômica, por exemplo, suscita diferentes interpretações. Alguns acham que os pobres são pobres porque têm pouca inteligência e, portanto, não

[4] A correlação entre os resultados do QI e o desempenho escolar tem resultados em torno de +0,50, o que indica que ela existe, mas não é perfeita.

vale a pena o investimento em educá-los. Esquecem-se, todavia, que uma boa educação pode melhorar o QI e seguramente promover uma melhoria na situação socioeconômica.

Além disso, a dedicação e o esforço podem modificar as condições trazidas por fatores genéticos. As pessoas podem certamente destacar-se em uma determinada atividade por meio da dedicação, disciplina e trabalho contínuos. Ainda assim, a natureza não se guia, infelizmente, por considerações igualitárias. As pessoas são diferentes nos seus níveis de inteligência, ainda que sujeitos a uma considerável alteração provocada pelo ambiente. Ambientes enriquecidos e o esforço pessoal podem fazer uma grande diferença, mas é bom lembrar que eles atuarão em um potencial que não deixa de ser predeterminado.

RESUMO

1 Embora o conceito de inteligência tenha variado ao longo do tempo e do espaço, a inteligência pode ser considerada como a habilidade de se adaptar ao ambiente e aprender com a experiência.

2 Os resultados dos testes de inteligência por convenção são chamados de **QI**. Os resultados obtidos por uma pessoa nas diversas tarefas dos testes são correlacionados, admitindo-se a existência de uma inteligência geral ou fator ***g***.

3 Como as pessoas diferem em suas habilidades, há propostas para um modelo hierárquico da inteligência em que o fator *g* sintetiza o resultado geral, com níveis intermediárias e inferiores, expressando fatores mais específicos.

4 Costuma-se dividir a inteligência geral em dois componentes: uma inteligência fluida, a capacidade de lidar com problemas novos e uma inteligência cristalizada, as habilidades já existentes e o conjunto de informações acumuladas.

5 Howard Gardner propôs a teoria das inteligências múltiplas, segundo a qual existiriam oito inteligências: verbal, lógico-matemática, visioespacial, corporal-cinestésica, musical, interpessoal, intrapessoal e naturalística.

RESUMO

6 Uma inteligência emocional foi proposta como a habilidade de perceber, avaliar as próprias emoções e a dos outros, de expressar e lidar com as emoções de forma a facilitar os relacionamentos e promover o crescimento pessoal.

7 Sternberg propõe uma teoria da inteligência bem-sucedida, ou inteligência plena. Haveria uma inteligência analítica, saber avaliar problemas e opções disponíveis; uma inteligência criativa, ser capaz de gerar soluções para os problemas identificados; e uma inteligência prática, ser capaz de fazer funcionar as opções escolhidas.

8 Outras culturas valorizam como inteligentes habilidades diferentes. É difícil mensurar a inteligência de um modo isento de viés cultural, e há capacidades que os testes usuais não mensuram, como sabedoria, criatividade, conhecimento prático ou habilidades sociais.

9 A inteligência sofre influências genéticas. Os fatores ambientais são importantes, pois o ambiente pode controlar a manifestação e o impacto da ação dos genes.

10 O número de neurônios, a velocidade de comunicação entre eles, bem como a especialização funcional em determinadas regiões corticais estão correlacionados com a inteligência.

11 A inteligência não tem uma localização cerebral específica, mas é fruto do funcionamento de sistemas cerebrais interconectados que dependem da eficiência da substância branca que promove a conexão entre os diversos centros nervosos.

12 Quanto ao funcionamento cognitivo, sabemos serem importantes para a inteligência a velocidade mental, a memória de trabalho, a atenção e também a função executiva.

13 Existe relação entre os resultados dos testes de inteligência e o desempenho escolar. A intervenção escolar pode alterar positivamente os resultados dos testes de inteligência, pois modifica atitudes e cria habilidades intelectuais, além de aumentar a informação.

11

A MÁQUINA IMPERFEITA

Neste capítulo, veremos as dificuldades para a aprendizagem, com ênfase em algumas síndromes decorrentes do mau funcionamento do sistema nervoso, e veremos como o educador pode atuar na abordagem desses problemas.

AS DIFICULDADES PARA A APRENDIZAGEM E SUA ABORDAGEM

Em sua prática, o educador se depara com muitos desafios, mas talvez a tarefa mais incômoda seja lidar com as dificuldades da aprendizagem. O estudante que não presta atenção na aula, ou que está sempre perturbando a turma com brincadeiras inconvenientes ou provocações. Aquele que não para quieto, ou o que tem facilidade em determinada disciplina, mas fracassa em outras. O aluno que não tem problemas de comunicação, mas escreve garranchos ou ainda aquele que é campeão de futebol, mas só tira notas baixas. São todos motivos de preocupação para o professor.

Além de casos como esses, também estão na escola crianças e adolescentes com limitações relacionadas a deficiências sensoriais, como a visual e a auditiva, ou com desarranjos ou diferenças no comportamento social, cognitivo ou motor, cuja evolução no processo de aprendizagem é bastante distinto dos demais estudantes.

A avaliação das acuidades auditiva e visual na criança, antes do início da sua vida escolar, contribui para a prevenção de algumas das dificuldades para aprendizagem. No caso de alunos com deficiências sensoriais congênitas, é importante oferecer-lhes, desde o início do desenvolvimento, estratégias pedagógicas alternativas, como o uso da linguagem de sinais para os deficientes auditivos e recorrer aos estímulos táteis para a comunicação com os deficientes visuais.

As dificuldades de aprendizagem resultam de muitos aspectos que interferem na aquisição de novos esquemas, ou seja, na reorganização do cérebro para produção de novos comportamentos. É um termo genérico que abrange um grupo heterogêneo de problemas capazes de alterar a capacidade de aprender. Esses problemas podem estar relacionados a anomalias do funcionamento do sistema nervoso. Estima-se que as dificuldades para a aprendizagem, relacionadas a diversas causas, ocorrem em 15 a 20% das crianças no primeiro ano de escolaridade e podem chegar a números maiores nos primeiros seis anos na escola.

Embora a aprendizagem ocorra no cérebro, nem sempre ele é a causa original das dificuldades observadas. Como ela depende da interação do indivíduo com o ambiente, as falhas na aprendizagem podem estar relacionadas ao indivíduo, ao ambiente ou a ambos. Um aprendiz com boa saúde e todas as suas funções cognitivas preservadas, sem nenhuma alteração estrutural ou funcional do sistema nervoso pode, ainda assim, apresentar dificuldades para aprender. O ambiente, na verdade, leva ao desenvolvimento de comportamentos adaptativos que podem dificultar ou propiciar a aprendizagem.

Quando os pais perguntam ao filho sobre seu dia na escola e valorizam as atividades vivenciadas pelo aluno, ele ficará mais motivado para se envolver com aquelas atividades. O contrário também ocorre: pais que não leem ou que não incentivam os filhos a ler podem contribuir para o desinteresse deles pela leitura.

A saúde geral do aprendiz é imprescindível para uma boa aprendizagem. O funcionamento do cérebro depende do bom funcionamento dos demais sistemas orgânicos, e algumas doenças, como o hipotireoidismo, podem prejudicar o funcionamento do sistema nervoso, com influências negativas na atenção e na memória. Doenças parasitárias, anemia, problemas ortopédicos, doenças renais, cardiopatias, dentre outras, são quadros que podem interferir na aprendizagem, pela própria doença ou por causa do seu tratamento, ou ainda pela repercussão de ambos sobre o sistema nervoso. Eles podem produzir desconforto físico, implicar diminuição da frequência à escola e das horas de estudo e, eventualmente, influenciar no sono e na atenção.

O ambiente ao qual estamos expostos influencia o processo de aprendizagem, interferindo nos fatores psicológicos e emocionais e induzindo comportamentos que podem ser mais ou menos favoráveis ao aprendizado. O início da vida escolar ou a mudança de escola podem gerar timidez, insegurança ou ansiedade. Um ambiente familiar agressivo, inseguro, com história de alcoolismo, uso de drogas, pais separados ou em constantes litígios, pais desempregados ou com comportamento antissocial podem fazer com que seja muito difícil para a criança se dedicar ao processo de aprender. Situações não rotineiras como a chegada de um irmão, mudança de comunidade, morte na família, uma viagem ou evento muito importante também podem interferir. O cérebro da criança estará processando os estímulos gerados por essas mudanças de forma a produzir um comportamento que permita a melhor adaptação às situações vividas. Assim, os circuitos neuronais que deveriam estar envolvidos nas tarefas escolares estarão ocupados com comportamentos que, naquele momento, são mais relevantes para a sobrevivência e o bem-estar. O cérebro desse aprendiz, portanto, não apresenta nenhum problema, mas funciona com o objetivo de melhor adaptar o indivíduo ao contexto ao qual ele está exposto naquela ocasião.

Crianças e adolescentes saudáveis, com funções cognitivas preservadas, podem apresentar baixo desempenho escolar devido a estratégias pedagógicas inadequadas, como aulas muito extensas, conteúdos não contextualizados e pouco significativos para o aluno, professores pouco qualificados ou desmotivados ou ainda pela falta de incentivo ou estimulação pelos pais.

Fatores socioeconômicos como a ausência de condições para adquirir material didático, restrições do acesso a livros, jornais e outros meios de informação, falta de ambiente e rotina para estudo em casa podem contribuir para um aprendizado que não reflete o potencial do aprendiz. Nesses casos, eles não têm acesso às experiências sensoriais, motoras e sociais que são fundamentais para o adequado funcionamento e para a reorganização de seu sistema nervoso.

Mas há também os casos em que o cérebro do aprendiz não funciona da mesma forma que o cérebro da maioria dos indivíduos no mesmo estágio de desenvolvimento. As alterações da estrutura e funcionamento cerebrais podem se dever a fatores que interferiram na formação do cérebro quando este estava se desenvolvendo, ainda durante a gestação, ou a fatores que atuaram sobre um órgão que nasceu sadio. A criança ou o adolescente que tem um cérebro diferente apresentará também comportamentos, habilidades e potencialidades cognitivas diferentes daquele cujo sistema nervoso não sofreu alteração. E, com muita frequencia, necessitará de estratégias pedagógicas distintas durante o processo de aprendizagem, de forma a desenvolver os comportamentos e adquirir os conhecimentos que sua estrutura cerebral permite.

A formação do cérebro durante a gestação, como vimos, é regida pelas informações genéticas recebidas dos pais, mas pode ser alterada por condições específicas da gestação. Uma criança cuja mãe tenha sido infectada pelo vírus da rubéola durante a gravidez poderá apresentar comprometimento de funções sensoriais e/ou cognitivas, pois o vírus da rubéola modifica a organização e o funcionamento dos neurônios no sistema nervoso em desenvolvimento. Deficiências nutricionais, consumo de substâncias tóxicas como álcool e cocaína, exposição à nicotina e radiações durante a gestação também influenciam a formação do cérebro.

As próprias informações genéticas podem estar alteradas, por modificações cromossômicas por exemplo, resultando em erros na formação, localização ou conexão de neurônios, ou em erros bioquímicos que podem afetar a formação de substâncias, como os neurotransmissores. Em decorrência, poderemos observar alterações em circuitos cerebrais localizados, com funções específicas, ou em circuitos presentes em diversas regiões cerebrais, acarretando prejuízo em um maior número de funções.

Os chamados **transtornos da aprendizagem** são exemplos de alterações geneticamente determinadas em circuitos específicos, prejudicando a aquisição de habilidades cognitivas como a escrita, a leitura ou o raciocínio lógico-matemático. O termo é reservado para as dificuldades na aprendizagem caracterizadas por desempenho abaixo do esperado para a idade, nível intelectual e de escolaridade, nas habilidades mencionadas, em aprendizes que possuem condições adequadas e contextos favoráveis à aprendizagem. Sua ocorrência varia de 2 a 10% da população, dependendo do tipo de avaliação utilizada. Os transtornos da aprendizagem incluem a dislexia e a discalculia como quadros mais frequentes, os quais já foram mencionados nos Capítulos 8 e 9.

A síndrome de Down, ou o autismo, são exemplos de condições que alteram vários circuitos e comprometem um leque mais variado de funções. Nesses casos, além das dificuldades para a aprendizagem, o indivíduo apresentará também alterações, mais ou menos significativas, relacionadas ao comportamento socioemocional, com prejuízo da comunicação, da sua interação com as pessoas e de algumas atividades da vida diária. O impacto, portanto, não é restrito ao desempenho escolar.

A **síndrome de Down**[1] (SD) é uma síndrome de natureza genética, decorrente de um erro na distribuição dos cromossomas durante a formação do embrião, chamada de trissomia do cromossoma 21. Ela é a origem da maioria dos casos de deficiência mental e ocorre em cerca de 1 a cada 800 nascimentos. A incidência da alteração cromossômica é influenciada pela idade da mãe e varia em diferentes populações. A alteração genética tem consequências bioquímicas, que levam à modificação da formação e do funcionamento de sinapses no sistema nervoso.

Nos casos de SD, entre os 3 a 5 meses observa-se uma diminuição do diâmetro fronto-occipital do cérebro, que parece ser decorrente de uma redução no crescimento dos lobos frontais. Há diminuição do tronco encefálico e do cerebelo e

[1] A síndrome de Down é caracterizada pela presença de um cromossoma extra nos núcleos celulares, ou seja, pela trissomia do cromossoma 21.

também de neurônios do córtex cerebral. Contudo, no nascimento as anormalidades são discretas, colocando os portadores da síndrome na porção inferior do padrão de normalidade. A mielinização que ocorre no período pós-natal se atrasa, de um modo geral, em pelo menos em 25% dos casos. Costumam ocorrer outras anormalidades do desenvolvimento, como no sistema auditivo, e os problemas de audição são comuns.

Existe uma grande variabilidade entre os portadores da SD. Quando adultos, os achados neurológicos não são conclusivos, o panorama é difuso e apenas alguns casos têm uma neuropatologia localizada. Embora sejam capazes de adquirir alguns conhecimentos, todos os portadores da síndrome de Down têm dificuldades de aprendizagem, de leve a moderada, e as pesquisas atuais procuram definir melhor as suas causas. Tudo indica que os déficits não são generalizados, mas se localizam nos sistemas que dependem do hipocampo e também do córtex pré-frontal. Possivelmente, o cerebelo está também envolvido. A memória de procedimentos costuma ser normal, embora ocorram alterações do desenvolvimento motor.

A síndrome de Down produz alterações no tamanho de estruturas do sistema nervoso, no número de neurônios e na taxa de formação de sinapses. Por isso, prejudica várias funções cognitivas importantes para a aprendizagem como a linguagem, a memória, a função executiva, entre outras. O desempenho cognitivo alterado resulta em diferentes graus de deficiência mental.

No entanto, os genes que produzem essas alterações podem ter sua atividade modificada pela interação ambiental. A estimulação precoce, por meio de intervenções psicomotoras e pedagógicas, pode levar a novos padrões de comportamento decorrentes de modificações funcionais. Observam-se diferenças no desenvolvimento das crianças com síndrome de Down que decorrem das características individuais produzidas pela herança genética, da estimulação ambiental, da educação e dos problemas clínicos associados à síndrome. Estudos recentes têm procurado avaliar o efeito de medicamentos que agem nos processos de plasticidade e neurotransmissão como perspectiva terapêutica para a síndrome de Down.

O **autismo** é um transtorno neurobiológico do desenvolvimento que tem uma origem genética poligênica que pode afetar muitos órgãos, mas com predomínio da alteração do funcionamento do sistema nervoso central. Particularmente, algumas estruturas, como o córtex cerebral, o cerebelo e áreas do sistema límbico, parecem estar prejudicados.

O autismo é caracterizado por anormalidades no comportamento envolvendo a interação social, a linguagem e a cognição, com retardo mental em 70% dos casos e convulsões em 30% deles. O diagnóstico é clínico, feito pela observação do comportamento. A prevalência costumava ser de 2 a 4 crianças por 10 mil, mas atualmente é estimada em 1 criança para cada 150, o que se deve, provavelmente, à maior atenção que pais e educadores têm dado aos sintomas.

O autismo apresenta-se de forma variada e costuma se referir a essas síndromes como o transtorno do espectro autista (TEA). Nelas se inclui, além do autismo propriamente dito, a síndrome de Asperger, que mencionaremos a seguir. As características marcantes são os comportamentos estereotipados e os problemas de comunicação, de habilidade social e de cognição. Os TEA têm um componente genético, como mencionamos, e costumam ocorrer com uma frequência quatro vezes maior em meninos que em meninas.

Os autistas têm dificuldades de comunicação e de interação social e apresentam padrões de comportamento, atividades e interesses restritos, repetitivos e estereotipados. Há comprometimento da linguagem, da capacidade de socialização e de empatia e da habilidade para compreender o humor e a intenção dos outros indivíduos. Eles apresentam rigidez e perseveração de comportamentos, incluindo estereotipias (movimentos e atividades repetitivas sem uma finalidade), resistência à mudança e grande necessidade de manutenção da rotina a que estão acostumados.

Os sintomas aparecem gradativamente e são mais bem reconhecidos por volta dos 2 anos de vida. Eles podem se manifestar como isolamento ou comportamento social impróprio, contato visual pobre, dificuldade em participar de atividades em grupo, indiferença afetiva ou demonstrações inapropriadas de afeto, falta de empatia social e emocional. Geralmente apresentam dificuldades de comunicação verbal e não verbal. Crianças com autismo frequentemente não interagem nem olham para as pessoas, comportando-se como se estivessem em um mundo de coisas e não de indivíduos. Há aqueles que conversam, mas não é fácil entendê-los.

No autismo, a circunferência da cabeça costuma ser maior em relação ao restante da população, sendo que 20% dos autistas têm macrocefalia. O volume aumentado do cérebro é mais saliente nos lobos frontais, pode ser notado aos 2 anos e persiste pela infância, mas não na adolescência. O excesso de crescimento coincide com a época de aparecimento dos sintomas, indicando uma relação com o processo patológico que se instala.

Há também um excesso do crescimento do cerebelo antes dos 5 anos, seguido de diminuição nos indivíduos mais velhos. A base celular do excesso de crescimento ainda é desconhecida, mas pode ser causada pela redução na eliminação de sinapses que ocorre durante o desenvolvimento. O aumento do número de neurônios e de células gliais, por superprodução ou por diminuição da morte celular, também é uma possibilidade.

O autismo é uma desordem da organização neuronal cortical levando a deficiências no processamento da informação. Há alteração da organização dos dendritos e das sinapses. O problema principal envolve os neurônios e as conexões das regiões secundárias e terciárias do córtex cerebral (Capítulo 1). Parecem estar comprometidas as conexões que ligam diferentes regiões do mesmo hemisfério cerebral, assim como há alterações nos circuitos intracorticais. Daí decorrem deficiências no funcionamento cognitivo, principalmente nas tarefas que envolvem integração da informação e a coordenação de múltiplos sistemas neurais.

Provavelmente, ocorrem alterações moleculares que levam a um desequilíbrio nas funções excitatórias e inibitórias das sinapses corticais que são responsáveis pela mediação de comportamentos sociais e do processamento cognitivo. Altera-se, também, o processo de maturação de várias regiões do córtex cerebral.

Estudos com ressonância magnética funcional indicam modificação do funcionamento dos chamados "neurônios espelho", que não se ativam como nas pessoas sem autismo[2]. Essa deficiência poderia contribuir para as dificuldades sociais e emocionais no autismo. Ao que parece, nessa síndrome os sentimentos não estão vinculados à informação que chega ao cérebro por causa das deficiências de conexão cortical.

O diagnóstico acompanhado de intervenção precoce e intensa tem se mostrado uma estratégia efetiva em muitas crianças, propiciando melhor qualidade de vida ao paciente e à família. Os sintomas podem se modificar um pouco à medida que o indivíduo se desenvolve, ainda que o autismo não tenha cura. As intervenções educacionais, comportamentais e fonoaudiológicas são as mais importantes e visam o desenvolvimento social e cognitivo, as comunicações verbal e não verbal, a capacidade de adaptação e a solução de comportamentos indesejáveis. O tratamento farmacológico tem papel secundário, sendo que medicamentos podem ser necessários em alguns casos, para alívio de sintomas como as estereotipias e alterações do humor.

A **síndrome de Asperger**, que, como dissemos, costuma ser colocada no grupo de doenças conhecidas como os transtornos do espectro autista, é um quadro em que a criança tem características semelhantes ao autismo, com dificuldades na comunicação social, mas com inteligência frequentemente acima da média, bom desempenho verbal e interesse na aprendizagem de regras sociais. Como os sintomas são menos evidentes e a criança apresenta bom desempenho escolar, o diagnóstico é mais tardio, por volta dos 8 anos, geralmente provocado pela dificuldade de socialização do indivíduo.

[2] O sistema de neurônios espelho (localizado no lobo frontal) está ativo quando observamos ou imitamos as ações de outras pessoas e parece ser importante para a compreensão das suas ações e intenções. Acredita-se que esse sistema poderia mediar a compreensão das emoções sentidas pelos outros como se fossem próprias (empatia).

Outro problema que costuma trazer grandes alterações na capacidade de aprendizagem é o **transtorno de déficit de atenção/hiperatividade (TDAH)** em que as alterações do sistema nervoso parecem localizar-se em alguns circuitos cerebrais relacionados ao comportamento socioemocional. O distúrbio manifesta-se na infância, mas persiste ao longo da vida adulta.

A etiologia do TDAH ainda não está completamente compreendida, mas as pesquisas têm confirmado a natureza familiar do transtorno. Muitos genes, que interagem entre si, contribuem para o fenótipo neurológico. Além do fator genético, alguns fatores ambientais parecem interferir no desencadeamento das alterações. O baixo peso no nascimento, a exposição ao álcool ou à nicotina durante a gestação ou a contaminação por substâncias tóxicas como o chumbo são fatores importantes.

Inicialmente, considerava-se que o transtorno afetava principalmente os meninos, mas hoje se acredita que ele é uma enfermidade crônica que afeta ambos os sexos. Geralmente o TDAH não é diagnosticado antes dos 3 anos, mas estima-se que 2% das crianças em idade pré-escolar preenchem os critérios para o seu diagnóstico.

O transtorno caracteriza-se por uma disfunção atencional e executiva, bem como alteração do controle emocional e dos processos motivacionais. Nele se observa uma impulsividade inapropriada ao contexto, problemas de atenção e, em alguns casos, hiperatividade. Os testes neuropsicológicos apontam distúrbios na motivação e na função executiva, particularmente na inibição de respostas, vigilância, memória operacional e planejamento, mas o quadro é variável. Existem subtipos de TDAH: a) predominantemente sem atenção, b) predominantemente hiperativo-impulsivo, e c) forma combinada.

Um sintoma frequente é a dificuldade de socialização, pois seus portadores não cooperam em atividades de grupo e seu comportamento é considerado difícil não só pelos adultos, mas pelas outras crianças, o que resulta na carência de amigos.

Os sintomas declinam com a idade, mas raramente evoluem para uma cura. A persistência do TDAH costuma associar-se com menor escolarização e a ocupação de trabalhos menos valorizados socialmente.

É comum encontrar-se uma redução do tamanho do cérebro que persiste até a adolescência. Sabe-se que há uma diminuição da função da região cortical pré-frontal e parece haver modificação estrutural e funcional de um circuito que liga o córtex pré-frontal, o corpo estriado e o cerebelo. Além disso, ocorre também uma diminuição no funcionamento de circuitos que utilizam os neurotransmissores noradrenalina e dopamina, importantes para a regulação da função do córtex pré-frontal.

As alterações no funcionamento desses circuitos provavelmente estão associadas aos achados neuropsicológicos na área da motivação. Já vimos no Capítulo 6 como o circuito dopaminérgico **(Fig. 6.3)** é importante nos processos motivacionais[3]. Nas crianças com TDAH ocorre uma falha na liberação de dopamina, fazendo com que a sinalização da gratificação não ocorra e que haja uma sensibilidade maior para a demora do reforço comportamental. Elas parecem prestar atenção aos estímulos que podem levar a uma gratificação imediata e não se prendem àqueles que apenas prometem uma gratificação tardia, o que explicaria boa parte dos sintomas.

As drogas usadas no tratamento do TDAH (metilfenidato, como a Ritalina) atuam ativando as sinapses dopaminérgicas, possibilitando a espera das gratificações mais tardias. Sem o tratamento, as crianças com TDAH não conseguem postergar uma recompensa, preferindo as que são imediatas, ainda que pequenas, do que a espera por uma maior, que só viria no longo prazo.

A opção psicofarmacológica costuma melhorar não só os distúrbios comportamentais, mas também a autoestima e a interação social e familiar. A psicoterapia combinada com a medicação pode ser uma abordagem ainda mais efetiva na resolução dos problemas usualmente encontrados.

O portador de TDAH apresenta baixo desempenho escolar devido às dificuldades para controlar a impulsividade, a ansiedade e a manutenção da atenção executiva. A intervenção terapêutica, melhorando o desempenho na área socioemocional, leva à diminuição das dificuldades para a aprendizagem.

Além das síndromes acima mencionadas, há ainda as situações em que o cérebro se desenvolveu sem anormalidades ou nasceu sadio, mas sofreu posteriormente a influência de algum fator que produziu lesões ou alterações que comprometerão em maior ou menor extensão a aprendizagem. Não cabe aqui nos estendermos sobre essas situações, mas podemos citar como exemplos a desnutrição no primeiro ano de vida, o hipotireoidismo congênito, a fenilcetonúria, a paralisia cerebral, a epilepsia, os traumatismos cranianos, as infecções no sistema nervoso central como meningites e encefalites, os tumores cerebrais, entre outros.

O diagnóstico dos transtornos como os mencionados nos parágrafos precedentes obedecem a critérios diagnósticos estabelecidos pelos profissionais das áreas específicas. Os critérios são clínicos e, portanto, requerem profissionais com formação adequada, competência e experiência na abordagem dos problemas. Exames laboratoriais, eletroencefalográficos ou de neuroimagem geralmente não são suficientes para o estabelecimento do diagnóstico. Como os sintomas podem ser co-

[3] As sinapses dopaminérgicas parecem atuar quando ocorre uma gratificação inesperada, enquanto os eventos aversivos inibem os neurônios dopaminérgicos. Quando ocorre repetição e aprendizagem de uma tarefa, a liberação de dopamina se torna mais precoce, sinalizando e prevendo a recompensa que se seguirá. Se esta é omitida seguidamente, os neurônios dopaminérgicos se silenciam. Ou seja, a dopamina é um sinalizador neuronal da gratificação.

muns a diversos quadros e como eles podem ocorrer associados, nos casos de comorbidade, o diagnóstico diferencial é muito importante e requer, como mencionamos, profissionais experientes.

As dificuldades de aprendizagem são identificadas pelo educador por meio da observação de comportamentos ou habilidades, gerais ou característicos, que destoam da maioria dos alunos e que comprometem o desenvolvimento do estudante segundo o padrão mais frequente na escola. Contudo, para estabelecer que um comportamento ou capacidade é realmente diferente da maioria dos outros indivíduos é preciso recorrer a instrumentos diagnósticos mais precisos, como os testes neurospicológicos que avaliam as funções cognitivas de uma forma específica, segundo padrões universalmente aceitos. Os profissionais treinados no uso desses instrumentos é que estão habilitados para contribuir para o diagnóstico do problema.

Deve-se lembrar, mais uma vez, que nem todo fracasso escolar está relacionado a um problema na saúde do aprendiz. É preciso ter cuidado para não "medicalizar" toda dificuldade para a aprendizagem, transferindo da esfera da educação para a da saúde a origem dos maus resultados obtidos por determinado aluno. No entanto, é bom levar em conta na equação do problema os fatores relacionados ao cérebro e à saúde geral do estudante que influenciam a aprendizagem e podem estar eventualmente envolvidos.

Como vimos, muitas são as causas das dificuldades para a aprendizagem. Elas têm etiologia multifatorial e demandam uma abordagem interdisciplinar, na qual diferentes profissionais compartilham suas impressões para uma proposta de intervenção terapêutica que abranja todos os fatores que influenciam a aprendizagem.

A dificuldade para a aprendizagem deve ser avaliada sob a perspectiva de profissionais com diferentes formações, conforme cada caso. Professoras, orientadoras educacionais, psicopedagogos, educadores nas áreas de artes e educação física, pediatras e neuropediatras, neurologistas, fonoaudiólogas, neuropsicólogas e psicólogas, terapeutas ocupacionais, fisioterapeutas, assistentes sociais, entre outros, são profissionais que podem ser necessários para o diagnóstico e/ou intervenção em cada caso. A integração da equipe que atende o aprendiz com a escola e, principalmente, com a família, também afetada pelo fracasso do estudante, é imprescindível para o sucesso da conduta proposta, qualquer que seja ela.

O cérebro é uma máquina poderosa e extremamente complexa que, infelizmente, às vezes deixa de funcionar da maneira esperada. Mas a máquina, mesmo imperfeita, pode permitir uma vida útil e gratificante para quem dela depende. Por isso, vale a pena o envolvimento da escola e da família com os diferentes especialistas que, trabalhando juntos, contribuirão para que ela possa atingir a plenitude do seu funcionamento.

RESUMO

1 As dificuldades para a aprendizagem são um desafio para o educador e abrangem um grupo heterogêneo de problemas que alteram a capacidade de aprender.

2 Embora a aprendizagem ocorra no cérebro, nem sempre ele é a causa original das dificuldades observadas. Um aprendiz com boa saúde, funções cognitivas preservadas e sem alteração estrutural ou funcional do sistema nervoso pode apresentar dificuldades para aprender.

3 O cérebro que se desenvolveu de forma diferente por fatores genéticos ou que sofreu modificações devido a condições da gestação apresentará comportamentos diferentes e necessitará de estratégias pedagógicas distintas durante a aprendizagem.

4 Os transtornos da aprendizagem são caracterizados por desempenho abaixo do esperado para a idade, nível intelectual e de escolaridade nas habilidades de escrita, leitura ou raciocínio lógico-matemático em aprendizes que possuem condições adequadas e contextos favoráveis à aprendizagem. Os principais exemplos são a dislexia e a discalculia.

5 A síndrome de Down, o autismo e o transtorno de déficit de atenção/hiperatividade (TDAH) são síndromes que produzem alterações de circuitos cerebrais, comprometendo aspectos do comportamento e influenciando a aprendizagem. O diagnóstico obedece a critérios clínicos e requerem profissionais com formação adequada, competência e experiência na abordagem dos problemas.

6 As dificuldades para a aprendizagem têm etiologia multifatorial e demandam uma abordagem interdisciplinar, na qual diferentes profissionais contribuem com uma intervenção terapêutica que abranja todos os fatores que influenciam a aprendizagem. O envolvimento da escola e da família com os especialistas poderá permitir que o aprendiz, mesmo apresentando um cérebro imperfeito, venha a atingir a plenitude do seu funcionamento.

12

O DIÁLOGO DESEJÁVEL

Neste capítulo, veremos as relações entre as neurociências e a educação, buscando esclarecer as limitações e potencialidades das contribuições recíprocas entre essas áreas do conhecimento.

AS RELAÇÕES ENTRE NEUROCIÊNCIA E EDUCAÇÃO

A educação tem por finalidade o desenvolvimento de novos conhecimentos ou comportamentos, sendo mediada por um processo que envolve a aprendizagem. Comumente, diz-se que alguém aprende quando adquire competência para resolver problemas e realizar tarefas, utilizando-se de atitudes, habilidades e conhecimentos que foram adquiridos ao longo de um processo de ensino-aprendizagem. Ou seja, aprendemos quando somos capazes de exibir, de expressar novos comportamentos que nos permitem transformar nossa prática e o mundo em que vivemos, realizando-nos como pessoas vivendo em sociedade.

E de onde vêm nossos comportamentos? Hoje sabemos que eles são produtos da atividade do nosso cérebro, ou melhor, de nosso sistema nervoso. Nossas sensações e percepções, ações motoras, emoções, pensamentos, ideias e decisões, ou seja, nossas funções mentais estão associadas ao cérebro em funcionamento.

Se os comportamentos dependem do cérebro, a aquisição de novos comportamentos, importante objetivo da educação, também resulta de processos que ocorrem no cérebro do aprendiz. As estratégias pedagógicas promovidas pelo processo ensino-aprendizagem, aliadas às experiências de vida às quais o indivíduo é exposto, desencadeiam processos como a neuroplasticidade, modificando a estrutura cerebral de quem aprende. Tais modificações possibilitam o aparecimento dos novos comportamentos, adquiridos pelo processo da aprendizagem.

O cérebro é o órgão da aprendizagem. Essa constatação, hoje aparentemente tão óbvia, não foi sempre assim. Embora o educador atribuísse, frequentemente, as dificuldades de aprendizagem a um problema neurológico, não havia clareza de que o processo de aprendizagem normal fosse mediado por estruturas cerebrais com suas respectivas propriedades e funções. Aliás, boa parte dos conhecimentos acerca do funcionamento cerebral é relativamente recente. O cérebro foi, por muitos anos, um grande mistério.

As neurociências estudam os neurônios e suas moléculas constituintes, os órgãos do sistema nervoso e suas funções específicas, e também as funções cognitivas e o comportamento que são resultantes da atividade dessas estruturas. O conhecimento neurocientífico cresceu muito nos últimos anos, principalmente a partir da chamada "Década do Cérebro", proposta pelo Congresso dos Estados Unidos para os anos de 1990 a 1999. O desenvolvimento e o aperfeiçoamento de técnicas de neuroimagem, de eletrofisiologia, da neurobiologia molecular, bem como os achados no campo da genética e da neurociência cognitiva possibilitaram um avanço do conhecimento em ritmo até então nunca observado. Embora os processos cognitivos ainda não sejam integralmente compreendidos devido às limitações técnicas e éticas que o estudo do comportamento humano impõe, grande progresso já foi alcançado.

Essas descobertas, ao longo dos últimos anos, ultrapassaram os nichos acadêmicos especializados nas neurociências e se estenderam aos profissionais de outras áreas do conhecimento, como as artes, as ciências exatas, humanas e sociais. Naturalmente, a educação é uma dessas áreas. Além disso, a divulgação científica, mediada por veículos de comunicação de massa, fez com que essas descobertas das neurociências fossem rapidamente compartilhadas com o público em geral.

Dessa forma, educadores, e aí se incluem professores, coordenadores, pais, todos os que orientam o desenvolvimento de outras pessoas, puderam se identificar como agentes das mudanças neurobiológicas que levam à aprendizagem, reconhecendo o cérebro como o órgão da aprendizagem. Surgem então algumas questões como: qual seria a real contribuição das neurociências para a educação? O conhecimento do funcionamento do cérebro pode contribuir para o processo ensino-aprendizagem mediado pelo educador? Estabeleceu-se, a partir daí, um diálogo, uma interface ente as neurociências e a educação, muito debatidos na última década.

Embora muitas vezes se observe certa euforia em relação às contribuições das neurociências para a educação, é importante esclarecer que elas não propõem uma nova pedagogia nem prometem soluções definitivas para as dificuldades da aprendizagem. Podem, contudo, colaborar para fundamentar práticas pedagógicas que já se realizam com sucesso e sugerir ideias para intervenções, demonstrando que as estratégias pedagógicas que respeitam a forma como o cérebro funciona tendem a ser as mais eficientes. Os avanços das neurociências possibilitam uma abordagem mais científica do processo ensino-aprendizagem, fundamentada na compreensão dos processos cognitivos envolvidos. Devemos ser cautelosos, ainda que otimistas em relação às contribuições recíprocas entre neurociências e educação.

Sabemos que os estados e processos mentais, bem como nosso comportamento, dependem de estados e processos que ocorrem no cérebro. Contudo, os conceitos da psicologia e das ciências sociais não podem ser reduzidos a conceitos da neurobiologia. Eles pertencem a níveis diferentes de explicação que são autônomos.

As neurociências são ciências naturais que estudam princípios que descrevem a estrutura e o funcionamento neurais, buscando a compreensão dos fenômenos observados. A educação tem outra natureza e finalidades, como a criação de condições para o desenvolvimento de competências pelo aprendiz em um contexto particular. Ela não é regulada apenas por leis físicas ou biológicas, mas também por aspectos humanos que incluem, entre outras, a sala de aula, a dinâmica do processo ensino-aprendizagem, a família, a comunidade e as políticas públicas.

Descobertas em neurociências não autorizam sua aplicação direta e imediata no contexto escolar, pois é preciso lembrar que o conhecimento neurocientífico contribui com apenas parte do contexto em que ocorre a aprendizagem. Embora ele seja muito importante, é mais um fator em uma conjuntura cultural bem mais ampla.

O trabalho do educador pode ser mais significativo e eficiente quando ele conhece o funcionamento cerebral. Conhecer a organização e as funções do cérebro, os períodos receptivos, os mecanismos da linguagem, da atenção e da memória, as relações entre cognição, emoção, motivação e desempenho, as dificuldades de aprendizagem e as intervenções a elas relacionadas contribui para o cotidiano do educador na escola, junto ao aprendiz e à sua família. Mas saber como o cérebro aprende não é suficiente para a realização da "mágica do ensinar e aprender", assim como o conhecimento dos princípios biológicos básicos não é suficiente para que o médico exerça uma boa medicina.

É possível relacionar algumas explicações neurobiológicas com os assuntos pedagógicos, desde que evidências empíricas apontem nessa direção. Por que algumas crianças se adaptam melhor a uma determinada metodologia pedagógica do que a outras? O que faz com que algumas crianças tenham grande facilidade para a matemática, mas apresentem dificuldades em outras disciplinas? Ensinar uma segunda língua a uma criança em processo de alfabetização é proveitoso? Qual é a melhor idade para a iniciação musical? O bebê já aprende no útero da mãe? Crianças desnutridas apresentarão, necessariamente, dificuldades escolares? Existe época melhor para se aprender determinado conteúdo?

Essas são algumas das questões presentes no dia a dia do professor e de outros profissionais da educação. Muitas continuam sem resposta, mas outras já têm sido abordadas em uma perspectiva neurocientífica, por meio de teorias e estudos que continuam em expansão. Na verdade, a comunicação entre a comunidade de educadores e a de neurocientistas necessita ser uma via de mão dupla, pois estes precisam ser envolvidos nos problemas reais do cotidiano escolar. Essa interação possibilitará o aparecimento de estudos que venham avaliar o sucesso ou não de determinadas práticas pedagógicas em termos dos achados no funcionamento neural.

Nos últimos anos, a Organização de Cooperação para o Desenvolvimento Econômico (OCDE) tem promovido fóruns mundiais com o objetivo de discutir a interface entre neurociências e educação. Os temas incluem, entre outros, a avaliação da influência da natureza (genética) e da criação ("lar saudável e uma boa escola") no sucesso da aprendizagem; a real importância dos primeiros anos para um aprendizado bem-sucedido pelo restante da vida; a influência da idade na aprendizagem de atitudes específicas, habilidades e conhecimentos; as diferenças na aprendizagem de jovens e adultos; o significado de inteligência; o funcionamento da motivação; as bases neuropsicológicas para aprendizagem da escrita, leitura e matemática.

Nesse período ocorreu também um grande aumento no número de trabalhos científicos dedicados à interface neurociência e educação. Muitos chamam a atenção para o julgamento crítico necessário à correta utilização dos conhecimentos divulgados, evitando o aparecimento de mitos e teorias precipitadas que ignoram os critérios indispensáveis para a aplicação dos dados obtidos pelas ciências básicas.

Desse diálogo, desejável e necessário entre educação e neurociências, emergem os desafios que podem contribuir para o avanço de ambas as áreas. Um deles é o esclarecimento da real contribuição das neurociências para a educação e também de suas limitações, o que demanda seriedade e compromisso ético dos meios que realizam a divulgação científica. A orientação de pedagogos e professores, mas também dos pais, todos educadores, sobre a organização geral, funções, limitações e potencialidades do sistema nervoso, permitirá que eles compreendam melhor como as crianças aprendem e se desenvolvem, como o corpo pode ser influenciado pelo que sentimos a partir do mundo e porque os estímulos que recebemos são tão relevantes para os desenvolvimentos cognitivo, emocional e social do indivíduo.

Outro desafio que a educação apresenta às neurociências é a proposição de temas relevantes a serem estudados, como o funcionamento do sistema nervoso em aprendizes com cérebros diferentes, como autistas, crianças com deficiência mental, síndrome de Down, entre outros. As políticas de inclusão demandam a capacitação dos profissionais de apoio nas escolas regulares. Os estudos e descobertas de estratégias pedagógicas específicas, considerando um funcionamento cerebral distinto em aprendizes com as mais diversas síndromes, são condição imprescindível para tornar a educação inclusiva de crianças e adolescentes com necessidades educacionais especiais uma realidade. As neurociências têm aí uma contribuição fundamental que deve ser alimentada constantemente pelas observações e vivências dos educadores que trabalham com estudantes que aprendem de forma diferente.

Além disso, a inclusão de temas relacionados às neurociências na formação inicial do educador é um terceiro e urgente desafio. No Brasil, a maior parte dos educadores que trabalham na administração pública e também na "frente de batalha", ou seja, nas escolas, tem uma formação fundamentalmente humanística, essencial para compreensão da educação, mas insuficiente para o atendimento das demandas da aprendizagem para a vida em sociedade neste milênio. Ao conhecer o funcionamento do sistema nervoso, os profissionais da educação podem desenvolver melhor seu trabalho, fundamentar e melhorar sua prática diária, com reflexos no desempenho e na evolução dos alunos. Podem interferir de maneira mais efetiva nos processos do ensinar e aprender, sabendo que esse conhecimento precisa ser criticamente avaliado antes de ser aplicado de forma eficiente no cotidiano escolar. Os conhecimentos agregados pelas neurociências podem contribuir para um avanço na educação, em busca de melhor qualidade e resultados mais eficientes para a qualidade de vida do indivíduo e da sociedade.

Afirma-se que o progresso do conhecimento neste milênio só será possível a partir de uma perspectiva transdisciplinar. Por meio dessa perspectiva, as diversas áreas do conhecimento utilizarão seus pressupostos para avançar em direção a um conhecimento novo. Nesse enfoque, acreditamos que a educação poderia se beneficiar dos conhecimentos neurocientíficos para a abordagem das dificuldades escolares e suas intervenções corretivas. Isso permitiria explorar as potencialidades do sistema nervoso de forma criativa e autônoma e ainda sugerir intervenções significativas para a melhoria do aprendizado escolar e da qualidade de vida.

Com conhecimento científico, intercâmbio de experiências, julgamento crítico, disposição e energia, mas sem euforia excessiva, poderemos nos tornar, em breve, educadores de muito mais sucesso.

RESUMO

1 A educação é caracterizada por um processo que envolve aprendizagem. A aprendizagem é mediada pelas propriedades estruturais e funcionais do sistema nervoso, especialmente do cérebro.

2 Os conhecimentos neurocientíficos avançaram muito nas últimas décadas e chegaram ao público leigo por meio da divulgação científica. Os educadores se reconheceram como mediadores das mudanças neurobiológicas que caracterizam a aprendizagem.

3 As neurociências e a educação são áreas autônomas do conhecimento, ainda que possam ter interfaces em comum.

4 As neurociências não propõem uma nova pedagogia e nem prometem solução para as dificuldades da aprendizagem, mas ajudam a fundamentar a prática pedagógica que já se realiza com sucesso e orientam ideias para intervenções, demonstrando que estratégias de ensino que respeitam a forma como o cérebro funciona tendem a ser mais eficientes.

5 Na interface entre educação e neurociências emergem desafios como a divulgação adequada das neurociências para os educadores e o público em geral, o estudo dos mecanismos de aprendizagem em indivíduos com dificuldades educacionais especiais e a inclusão das neurociências na formação inicial do educador.

LEITURAS SUGERIDAS

LIVROS

Belsky, J. (2010) *Desenvolvimento humano: experienciando o ciclo da vida*. Porto Alegre: Artmed.

Blakemore, S. J. & Frith, U. (2005) *The learning brain: lessons for education*. Oxford: Blackwell Publishing.

Cocking, R. R., Bransford, J., Brown, A. (2007) *Como as pessoas aprendem: cérebro, mente, experiência e escola*. São Paulo: Editora Senac

Cosenza, R.M. (2005) *Fundamentos de neuroanatomia* (3ª Ed.). Rio de Janeiro: Guanabara Koogan.

Gardner, H. (2000) *Inteligência: um conceito reformulado*. Rio de Janeiro: Objetiva.

Gazzaniga, M. S., Heatherton, T. F. (2005) *Ciência psicológica: mente, cérebro e comportamento*. Porto Alegre: Artmed.

Gazzaniga, M. S., Ivry, R. B., Mangun, G. R. (2006) *Neurociência cognitiva: a biologia da mente* (2ª Ed.). Porto Alegre: Artmed.

Lent, R. (2010) *Cem bilhões de neurônios?: Conceitos fundamentais de neurociência*. (2ª Ed.). São Paulo: Ed. Atheneu.

Meltzer, L. (Ed.) (2007) *Executive Function in Education: From Theory to Practice*. New York: The Guilford Press.

Posner, M. I. & Rothbart, M. K. (2007) *Educating the human brain*. Washington: American Psychological Association.

Rotta, N.T., Ohlweiler, L., Riesgo, R.S. (2006) *Transtornos da aprendizagem: abordagem neurobiológica e multidisciplinar*. Porto Alegre: Artmed.

Sternberg, R. J. & Grigorenko, E. L (2003) *Inteligência plena: ensinando e incentivando a aprendizagem e a realização dos alunos*. Porto Alegre: Artmed.

ARTIGOS

Contestabile, A., Benfenati, F., Gasparini, L. (2010) Communication breaks-Down: from neurodevelopment defects to cognitive disabilities in Down syndrome. *Progress in Neurobiology*, 91: 1-22.

Deary, I. J., Penke, L., Johnson, W. (2010) The neuroscience of human intelligence differences. *Nature Reviews / Neuroscience*, 11: 201-211.

Dehaene S., Molko N., Cohen L., Wilson A. J. (2004) Arithmetic and the brain. *Current Opinion in Neurobiology*, 14, 218–224.

Jurado, M. B. & Rosselli, M. (2007) The Elusive Nature of Executive Functions: A Review of our Current Understanding. *Neuropsychol Rev* 17:213–233.

Mason, L. (2009) Bridging neuroscience and education: A two-way path is possible. *Cortex*, 45 (4): 548-549.

Rapin, I. & Tuchman, R. F. (2008) Autism: definition, neurobiology, screening and diagnosis. *Pediatr Clin N Am*, 55:1129–1146.

Shaywitz, S. E., Shaywitz, B. A. (2008) Paying attention to reading: The neurobiology of reading and dyslexia. *Dev Psychopathol.*, 20(4):1329–1349.

Willingham, D. T. (2009) Three problems in the marriage of neuroscience and education. *Cortex,* 45(4): 544-545.

ÍNDICE

F

G

H

I

L

M

N

P

Q

R

S

T

V

W